Plenos Pecados

"Sucesso no Brasil é ofensa pessoal."
(Tom Jobim)

"A inveja não goza de boa reputação."
(Renato Mezan)

"A inveja habita no fundo de um vale onde jamais se vê o sol."
(Ovídio)

"...a inveja destrói como câncer."
(Bíblia, Provérbios 14:30)

"Não há ódio mais implacável que o da inveja."
(Arthur Schopenhauer)

"O invejoso chora mais o bem alheio que o próprio dano."
(Francisco de Quevedo)

"A emulação é a paixão das almas nobres; a inveja, o suplício das almas vis."
(Jean François Marmontel)

"Podemos descrever o nosso ódio, o nosso ciúme, os nossos medos, as nossas vergonhas. Mas não a nossa inveja."
(Francesco Alberoni)

"A inveja não ama."
(Joseph H. Berke)

"A inveja é uma merda."
(Adesivo de automóvel)

Advertência

Mais do que um livro sobre a inveja, este livro é sobre alguém tentando escrever um livro sobre a inveja. Talvez tenha sido o melhor caminho que o autor encontrou para, ao tratar de um pecado tão complexo, não cair em outro, o da soberba.

No jornalismo, o que importa é o resultado, não as dificuldades para obtê-lo. Aqui, ao contrário, interessa mais o processo de apuração e os acidentes de percurso. É como naquelas construções de estrutura aparente, em que os tijolos ficam à mostra com suas imperfeições.

Pela auto-indiscrição, ou seja, pela forma como o autor expõe suas próprias peripécias, talvez se pudesse classificar *Mal secreto* como um *making of*. De qualquer maneira, não é um exemplo de fidelidade ao realismo.

A rigor, o livro deveria ser de não-ficção, e em boa parte é. Mas, apesar da presença de pessoas e casos reais, seria mais conveniente incluí-lo na categoria de ficção, preservando-se assim a identidade de alguns personagens. Para protegê-los de situações comprometedoras, tomei liberdades e me dei certas licenças em relação aos fatos, alterando nomes e recriando situações.

Em mais de um ano de pesquisas e entrevistas sobre a inveja, o autor ouviu psicanalistas, visitou terreiros de umbanda, conversou com padres e se viu envolvido com um suposto crime de morte. Esbarrei nas histórias aqui relatadas como nos romances policiais alguém tropeça num corpo. O que veio a ser o livro nem eu mesmo previa.

Devo dizer ainda que, como narrador, fui levado pelos acontecimentos sem nada poder fazer, a não ser contar.

Direitos em língua portuguesa para
o Brasil, adquiridos ao autor por
Editora Objetiva Ltda.,
rua Cosme Velho, 103
Rio de Janeiro - RJ - CEP 22241-090
Tel.: (021) 556-7824
Fax.: (021) 556-3322
Internet: http: // www.objetiva.com

Capa e projeto gráfico
Victor Burton

Ilustração da capa
"Inveja", de Luiz Zerbini

Coordenação editorial
Isa Pessôa

Revisão
Izabel Cristina Aleixo
Neusa Peçanha
Fátima Fadel

Editoração Eletrônica
Abreu's System Ltda.

Mal Secreto

IMAGEM LUIZ ZERBINI

OBJETIVA

Zuenir Ventura

Aos navegantes

Aos que pretendem empreender essa viagem, o autor pede que levem consigo, para o caso de se perderem, três distinções básicas: ciúme é querer manter o que se tem; cobiça é querer o que não se tem; inveja é não querer que o outro tenha.

E que prestem atenção: a inveja é um vírus que se caracteriza pela ausência de sintomas aparentes. O ódio espuma. A preguiça se derrama. A gula engorda. A avareza acumula. A luxúria se oferece. O orgulho brilha. Só a inveja se esconde.

E que tomem cuidado: como adverte uma personagem desse livro, a emergente Vera Loyola, "o verdadeiro amigo não é o que é solidário na desgraça, mas o que suporta o seu sucesso". Ou, como constatou outro personagem, o Padre: "A solidariedade na alegria é muito rara."

E que não se esqueçam: como dizia Nelson Rodrigues, "há coisas que o sujeito não confessa nem ao padre, nem ao psicanalista, nem ao médium depois de morto".

Uma delas certamente é a inveja.

Portanto, preparem-se para participar de um jogo em que o importante não é o que se ganha, mas o que o outro perde.

Kátia

Quando a conheci no terreiro de dona Lucinda, num dos mais distantes confins da Baixada Fluminense, já estava pesquisando o tema da inveja há alguns meses. Kátia mal acabara de completar 23 anos. "Uma deusa", definiu-a o jovem antropólogo que me levou a ela, no momento em que confundia objeto de estudo com objeto de desejo. A disparidade entre seu rosto de anjo caído e o que lhe atribuíam me deixou incrédulo a respeito de sua história – incrédulo e fascinado. A inveja e o ódio não podiam assumir uma forma tão dissimulada. Seus braços e pernas eram longos, seu corpo, esguio. Gostava de usar calças jeans justas e, só por isso, percebia-se um pequeno excesso nos quadris que talvez a impedisse de ser modelo profissional, se um dia viesse a querer. Tinha pouco preparo, quase nenhuma instrução e não lhe faltava classe.

O hábito das camisas brancas transparentes, de mangas compridas enroladas até o cotovelo, aumentava o seu ar meio andrógino, sem diminuir a sensualidade. Na frente, como que esquecido, havia sempre um botão a mais desabotoado.

Até hoje não sei se Kátia era de fato bonita ou só excitante. A pele morena, os olhos grandes e verdes, os cabelos lisos formavam uma combinação que denunciava os vários cruzamentos que deram no que somos hoje.

Era evidente que, em passado não muito remoto, algum alemão ou holandês deve ter esbarrado com uma mulata ou índia ou parda, dando início à estirpe da qual Kátia era um magnífico exemplar. Tinha o que um amigo meu, ao vê-la pela primeira vez, chamou de "lascívia tristonha". Perturbadora e voluptuosa, talvez estivesse no livro errado – devia estar no da luxúria.

Minha longa experiência na profissão já tinha me encaminhado para a crença de que o jornalismo vive mais do acaso do que da premeditação. A aventura dessa moça confirmava isso. Grandes mistérios costumam ser desfeitos não tanto pela competência da polícia ou dos repórteres, mas porque *vazam*, ou seja, porque é difícil guardar segredo.

Ninguém quer ser anônimo na vida, a não ser as celebridades – depois, evidentemente, que conseguem fama. Todo mundo quer ter um papel na História, ou nas histórias, de preferência o principal.

Havia no Rio um grande cronista que durante anos assediou sem sucesso uma recatada dama da sociedade carioca. Um dia ela resolveu ceder, mas com a condição de que ele mantivesse o caso em absoluto segredo.

"Ah, então não", ele recusou. Em sigilo não valia a pena. O gosto do segredo é bom, mas o da inconfidência pode ser melhor.

Poucos prazeres substituem o de contar. Embolado na caverna em torno do fogo ou diante da fogueira moderna, que é a televisão, o homem vive de contar e de ouvir histórias, não importa se reais ou imaginárias.

A esta compulsão devo a maior parte das revelações feitas por Kátia. Salva quando criança de um soterramento, ela era o que se podia chamar de submergente que virou emergente. Menina por ocasião da onda migratória que nos anos 80 foi fazer fortuna na Barra da Tijuca, acabou lá, levada por alguns daqueles personagens que realizaram o que pode ter sido a conquista do Oeste carioca.

Kátia caiu nestas páginas por acaso. Aliás, por acaso foi encontrado o tema deste livro e de acasos, bons e maus, ele foi feito.

Mas é melhor começar do começo.

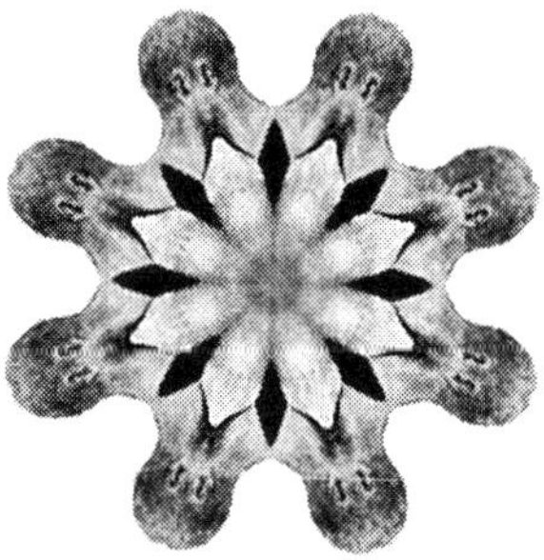

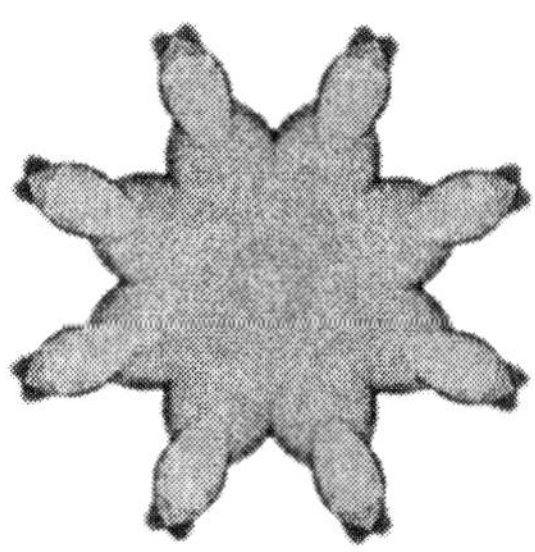

Primeira mordida

Subíamos de trem a Serra do Mar, quando o tema entrou em nossa conversa não sei por onde. Pela janela é que não foi. O que entrava por ali, pelas frestas, era o ar puro, quase gelado, enquanto pelo vidro passavam pedaços de um paraíso ecológico a quase 600 metros de altura. Em duas horas de lenta e prazerosa viagem, iríamos ser apresentados, ainda que de passagem, a todas as espécies da flora da Mata Atlântica. Na lembrança ficaram especialmente as bromélias. Havia de todos os tipos, em variadas gradações de verde e até coloridas. Vistas da janela, era como se tivessem sido organizadas em arranjos por algum decorador caprichoso – surgiam penduradas em árvores, em volta de cada queda-d'água, forrando paredes de precipícios.

Era um passeio turístico para o qual fôramos convidados, minha mulher Mary e eu, e cujo convite resolvemos estender a Dorrit e sua filha Clara, que haviam ligado ao chegarem cedo ao Rio naquela manhã de sábado.

Fomos de ônibus até Angra dos Reis, onde deveríamos pegar o Trem Verde para percorrer os 40 quilômetros de serra que nos levariam a Lídice, uma cidadezinha ao sul do Estado do Rio.

A manhã de chuva fina, com cara de inverno, parecia feita de propósito para aquela escalada, pois o folheto de propaganda do "Passeio ao Coração da Mata Atlântica" anunciava que com tempo nublado, a viagem tinha um atrativo especial: "a sensação de estar viajando numa floresta dentro das nuvens".

Hoje misturam-se nas minhas lembranças o que foi dito por minha amiga e o que foi dito por mim, o que eu sabia então sobre a inveja e o que aprendi depois. Não consigo me lembrar por que começamos a falar daquele assunto, naquele lugar.

Acho que ouvi mais do que falei. Dorrit disse que era fascinada pelo tema porque se tratava de um sentimento inconfessável e tão insidioso que fazia com que os outros seis pecados parecessem até "invejáveis". Podia-se controlar a cobiça e acalmar a ira. Seria possível sublimar a luxúria e saciar a gula; o orgulho não chegava a ser mortal e a preguiça não era um estado irreversível. Mas a inveja, não, ela era inesgotável, um eterno descontentamento consigo mesmo.

Me lembro também que aquela viagem em ritmo de outra época estimulou uma busca de adjetivos para classificar a inveja. Ela é "paciente", dizia minha amiga; "dissimulada", acrescentava eu. E mais adjetivos foram surgindo: sub-reptícia, insaciável, incontrolável, duradoura, caprichosa, sorrateira, calculista, cumulativa.

Os adjetivos eram tantos quanto os túneis da região. A cada um que cruzávamos, e cruzamos uns quinze, interrompíamos a conversa para participar do medo fingido do escuro, da emoção simulada e de todas aquelas lúdicas sensações que experimenta quem viajou de trem na infância.

Nem sempre a álacre conversa dos outros passageiros do vagão ou os embalos e solavancos da composição permitiam que nós nos ouvíssemos bem, mas nessas horas aumentávamos a voz. Em meio a tantas interferências, talvez tivéssemos nos esforçado demais para chegar a conclusões óbvias, como a de que a inveja é um sentimento universal.

Os primeiros exemplos a surgir na conversa, claro, foram os da Bíblia, onde tudo começou: Lúcifer, Caim e Abel, Esaú e Jacó. Algum tempo depois, já na fase de pesquisa, entrei em contato com teses muito interessantes sobre esses personagens.

Mas naquele dia o que me mobilizava, além da conversa com minha amiga, era esse outro paraíso, a 600 metros de altura, que me permitia olhar para baixo e descortinar o visual edênico da Baía da Ribeira em Angra dos Reis ou, mais perto, em volta, a orgia dos verdes e as incontáveis cascatas, cachoeiras e nascentes cristalinas que pareciam entrar pela janela a cada curva da estrada.

Há um ponto na serra em que o trem faz uma parada para se tirar fotografias e "ver a vista". O antropólogo Darcy Ribeiro devia estar pensando neste lugar – ele morreu sem que eu pudesse confirmar – quando escreveu que a beleza de Angra, observada "desde a montanha, debaixo da floresta" é infinita e incomparável: "quem a viu uma vez guarda sempre no peito como seu instante maior de percepção e êxtase da beleza do mundo".

Pretendia dizer mais acima que a conversa embatucou um pouco quando começamos a discutir se havia ou não uma "inveja boa". Não tenho muita certeza sobre nossas conclusões, mas acredito que acabamos admitindo que não.

Como o velho trem, o papo se arrastou até que a gente chegou a Lídice, um gracioso lugarejo de seis mil habitantes cujo nome é uma homenagem à cidade da Tchecoslováquia que Hitler mandou bombardear durante a Segunda Guerra, soterrando as casas e exterminando a população.

Fomos recebidos pela bandinha local, postada na praça principal, que abafou todas as conversas, atacando seu repertório de irresistíveis dobrados. Fui criado acompanhando bandas de música em Nova Friburgo. Por isso, me separei da ala feminina, que preferiu ver o artesanato, e grudei à charanga. E quando ela saiu marchando, eu marchei atrás: "Qual cisne branco que em noite de lua/ vai navegando num mar azul...". Quase perdi a viagem de volta.

E foi assim, em Lídice, que me despedi da inveja como tema de conversa e de preocupação.

Até que dois anos depois fui convidado pela Editora Objetiva para participar do projeto "Plenos pecados". Seriam sete livros, cada um feito por um autor, a serem lançados separadamente. Aceitei e não tive dúvidas: se podia escolher, escolheria como "meu" pecado a inveja.

Acho que a rapidez da escolha surpreendeu meus editores, pelo menos até que lhes contei a viagem a Lídice, o trenzinho, a conversa com minha amiga.

Pouco depois, Luis Fernando Veríssimo e João Ubaldo entraram no barco. O primeiro aceitou falar da gula e o segundo, da luxúria – os dois, de uma maneira ou de outra, iam tratar de apetites carnais, de coisas vitais como a fome e o sexo. Fiquei imaginando o gaúcho Veríssimo falando de comida e o baiano Ubaldo, de concupiscência. Ambos tinham a ver com seus temas.

Mas e eu? O que tinha a ver com a inveja, além daquele papo a 600 metros de altura? A experiência pessoal? Essa todo mundo tem. Quem já não sentiu e não despertou inveja? Mas de boas vivências eu sabia que o inferno da literatura andava cheio.

Confesso que nesse momento comecei a me arrepender da escolha. Será que não dava pra trocar? Afinal, havia ainda alguns pecados sem dono. E se eu pegasse a preguiça? Avareza não, mas e o orgulho? Os dias foram se passando e eu não tive coragem de sugerir a troca. Enquanto isso, aumentava a certeza de que os outros livros iam ser muito melhores, mais agradáveis e iam vender mais.

Senti então uma mordida que daí para a frente me seria muito familiar. Pude identificá-la logo, mesmo sem ter ainda começado a pesquisa. Era aquela sensação que a literatura dos adesivos de carro e dos pára-choques de caminhão resumia em uma frase: 'A inveja é uma merda."

Pecado brasileiro

Além do que ensinavam os adesivos e os pára-choques, eu pouco sabia sobre a inveja quando comecei a trabalhar neste livro. Só sabia o que todo mundo sabe: que se tratava de uma velha dama indigna, de má reputação e péssimo caráter, sorrateira, capaz de, com um simples olhar, murchar plantas e secar pimenteiras. Ainda não conhecia a famosa frase de S. Tomás de Aquino em relação a ela – "*tristitia de alienis bonis*" –, mas já não tinha dúvida de que na composição da inveja havia sempre um pouco dessa "tristeza" que se tem em relação às "coisas boas dos outros". Como eu iria ver depois em quase todos os estudos sobre o tema, esse sentimento sempre condenado, um dos mais antigos pecados da humanidade, certamente o mais inconfessável, se caracterizava por tornar alguém infeliz pela contemplação da felicidade alheia.

Impressionava também a unanimidade com que se falava mal da inveja, enquanto não era difícil encontrar elogios aos outros pecados. O presidente Fernando Henrique, por exemplo, chegou a confessar publicamente sua avareza, admitindo com orgulho ser um pão-duro. O filósofo italiano Norberto Bobbio dedicou quase duas páginas de seu livro *O tempo da memória* a seus acessos de raiva. Rapaz, quando ia se confessar, os adultos recomendavam sempre que ele desse destaque à ira, "pecado com que, segundo o juízo deles, eu me manchava com maior freqüência".

Provavelmente, nem o presidente nem o filósofo tratariam com a mesma benevolência a inveja. Aliás, como todo mundo, Bobbio negava sentir o pecado que "consiste em sofrer com o sucesso dos outros".

A condição marginal de um sentimento que não mostra a cara e não diz o nome não lhe atraiu jamais a simpatia ou a piedade. A inveja nunca existiu para produzir heróis, só vilões – assim na Terra, como no Céu (e no Inferno): Salieri, Iago, Caim, Satã.

A sua iconografia foi sempre pobre e feia: seu símbolo é a serpente. Ao contrário do amor, em torno do qual cantores e poetas construíram as mais belas imagens, não se conhece uma nobre metáfora sobre a inveja. O invejoso destila veneno, olha enviesado, fala com maldade, disfarça, escamoteia e dá mordidas traiçoeiras.

Tem havido um esforço de *marketing* tentando associá-la à emulação, à competição e à cobiça. Fala-se de "inveja boa", como se fala de colesterol bom. Mas parece tratar-se de um recurso para atenuar a vergonha que se tem do sentimento.

Na verdade, mesmo quando a inveja colabora para a formação de palavras com conotações positivas, como o adjetivo *invejável*, ninguém deve se iludir. O invejável não é o que causa inveja, mas admiração, como por exemplo um ídolo: "Pelé é invejável." Jamais se dirá o mesmo de um colega concorrente ou rival.

"Invejar é pior que morrer", escrevera o rabino Nilton Bonder em *A cabala da inveja*, citando uma tradição judaica. Por iniciativa de uma amiga, que me sugeriu a leitura e me emprestou o seu exemplar, esse foi o livro que me iniciou no tema.

Antes de encontrar o caminho, perguntei muito. Fiquei impressionado com o interesse que o tema despertava nas pessoas. Do psicanalista ao motorista de táxi, do padre ao publicitário, numa mesa de restaurante ou numa reunião social, não havia quem lhe ficasse indiferente.

Não sei se com os outros pecados aconteceria o mesmo. Uma vez, ao ser entrevistado numa rádio sobre violência no Rio, a conversa mudou de rumo assim que revelei o que estava fazendo. O entrevistador esqueceu o seu tema e passou a falar de inveja; acabou pedindo desculpas a seus ouvintes pela troca inesperada da pauta do programa.

Outra vez, num táxi, para passar o tempo, perguntei ao motorista se ele se preocupava com a inveja. "Só não coloco um plástico aqui, aquele que diz que 'a inveja é uma eme'", disse, evitando pronunciar a palavra toda, "porque não gosto de palavrão. Mas posso garantir ao senhor que a minha categoria é a que tem mais inveja." Daí para a frente, eu iria ouvir de médicos, padres, advogados, publicitários, jornalistas e artistas a mesma coisa: "A minha categoria é a que tem mais inveja."

Parecia que todo mundo carregava um livro pronto sobre o tema na cabeça. "Por que você não faz um livro assim, assim?", havia sempre alguém para sugerir. "Eu, por exemplo", informava outro, "costumo despertar muita inveja...", e vinham os conselhos e as histórias, quase todas se parecendo em um ponto: o invejoso era sempre "o outro".

Eu esperava encontrar personagens que fossem capazes de revelar nossas zonas de sombra, profundas e secretas, alguém como nos versos de Fernando Pessoa, "Que confessasse não um pecado; mas uma infâmia;/Que contasse, não uma violência, mas uma covardia!".

Quem seria capaz de revelar o prazer que sentia diante do fracasso de um amigo, como chegou a dizer Gore Vidal? "Quando um dos meus amigos tem sucesso, alguma coisa em mim se apaga", admitiu o escritor americano.

Nelson Rodrigues confessou sentimento parecido quando soube da morte de Guimarães Rosa. "A notícia deu-me um alívio, uma brusca e vil euforia. É fácil admirar, sem ressentimento, um gênio morto." Nesses momentos de "pulha", Nelson reconhecia que a pessoa se sente "um límpido, translúcido canalha".

Contei com muita ajuda e alguns desestímulos. Uma psicóloga me disse quando lhe telefonei comunicando a intenção do livro:

"Depois da Melanie Klein? Que coragem!"

Pensei na hora em desistir do projeto. Mas preferi desistir do telefonema. Desliguei. Um psicanalista foi mais franco: "Desculpe a curiosidade, mas você conhece alguma coisa de psicanálise?".

Cometi a imprudência de dizer que não e ele fez uma conferência. "A inveja, enquanto pecado capital e a nível da completude primordial e admitindo a vinculação pré-objetal, não passa de um conflito endopsíquico entre o mim e o não-mim."

Agradeci a dissertação e disse que, "enquanto livro, o meu se situaria a nível de simples reportagem".

Com medo talvez de discutir as restrições antecipadas dos críticos – quem sabe eles não tinham razão? – passei a trabalhar só com os que queriam realmente colaborar.

Uma noite, durante um jantar, Roberto Duailibi me advertiu para o risco de tratar a inveja hoje como se tratava na Idade Média. Dono de uma das maiores agências de publicidade do país, o D da DPZ, ele citou ou me mandou depois textos que lembravam ser a publicidade uma espécie de mitologia moderna ou religião pagã. Agora, as divindades, os mitos, as ninfas e dríades não habitam mais os rios e selvas, e sim os comerciais de televisão.

"Os sete pecados capitais dessa religião não são os mesmos da católica", ele alegava. Não era difícil lhe dar razão: os mecanismos publicitários criavam o paraíso dos invejáveis.

O restaurante estava cheio, éramos três casais e tivemos que esperar bastante. Entre um e outro bolinho de bacalhau, nos perguntamos: "Existe uma inveja boa?". Essa pergunta iria me acompanhar durante todo o livro.

Terminamos o jantar sem chegar a uma conclusão, mas sabendo que pelo menos não se devia confundir inveja com cobiça. "A inveja é destrutiva, a cobiça é competitiva." Por isso, segundo ele, a publicidade prefere a emulação e a disputa, que são características da cobiça. Encontrei depois vários autores defendendo a mesma tese: a inveja detesta a competição, exceto quando o invejoso sabe que vai ganhar. "Cobiçar", disse Duailibi ou um de seus autores, "é um vício virtuoso da economia competitiva."

Era sábado. Na terça de manhã, recebi dele uma pesquisa feita pela agência Toledo & Associados em dezembro de 1993. Nesse levantamento, a inveja aparecia como o "pecado brasileiro", ou seja, aquele que as pessoas mais conheciam e identificavam, ainda que o rejeitassem. Fora apresentado a 407 entrevistados um cartão contendo o nome dos sete pecados capitais e a pergunta: "Qual ou quais os pecados mais conhecidos?". Noventa e quatro por cento disseram que era a inveja.

Quando se tentou saber que pecados os entrevistados admitiam ter cometido "sempre", "às vezes" ou "nunca", o resultado foi mais curioso. Apenas 3% confessaram cometer "sempre" o pecado da inveja; 18% admitiram cometer "às vezes" e 79% disseram que "nunca" o tinham cometido. Os três pecados que as pessoas mais confessavam praticar eram a ira, a preguiça e a gula.

Tanta gente confessando conhecer a inveja e tão poucos admitindo cometê-la reforçava o que se dizia em quase todos os textos que eu estava lendo: que ela era um pecado vergonhoso e "inconfessável", pelo menos publicamente.

Mau-olhado

Li e pesquisei muito até o quarto mês de trabalho, quando ocorreu um acidente com minha saúde e tive que interromper o livro. Até lá, sem abandonar a teoria, decidi descobrir como a inveja ocorria na prática. Não sendo psicólogo, antropólogo ou sociólogo, só me restava ser jornalista: aquele sujeito que não sabe – só sabe encontrar as pessoas que sabem. Achei que o melhor caminho seria pesquisar alguns concorridos espaços sociais onde se presumia que esse sentimento se confessava, senão direta, pelo menos indiretamente: divãs dos psicanalistas, confessionários dos sacerdotes, terreiros de umbanda e candomblé. Desde que amigos tomaram conhecimento do meu interesse profissional pelo tema, não pararam de me sugerir nomes de mães e pais-de-santo para eu consultar. No Rio de Janeiro dos anos 90, a classe média recorre aos terreiros como nos anos 70 recorria aos psicanalistas. Parece estar preferindo se proteger, em vez de se curar.

Eu sabia que os terreiros, assim como os divãs e confessionários, me ofereciam um bom ângulo de observação. "Espaços protegidos", como dizem os psicanalistas. Mas não fui feliz na minha primeira incursão. Levado por Rivaldo, um jovem antropólogo que andava recolhendo material para uma monografia, acabei uma noite lá num grotão da Baixada Fluminense diante de dona Lucinda, mãe-de-santo com fama de ser da quimbanda, ou seja, mais do mal do que do bem.

Seus trabalhos eram "infalíveis", garantiam os que acreditavam nos efeitos miraculosos de uma certa poção mágica que se fabricava ali. O caso mais famoso envolvia dois amigos. O antropólogo acreditava que naquele terreiro eu encontraria pelo menos uma boa história de inveja.

Era um lugar feio e quente. Não havia iluminação pública e se aventurar ali à noite dava medo, embora a área tivesse sua segurança garantida pela própria presença do centro da mãe-de-santo. Em certas regiões do Rio de Janeiro, são os santos da umbanda que espantam os bandidos, não a polícia.

Sem calçamento e cheia de buracos, a rua obrigava o carro a andar devagar, jogando de um lado para o outro, como se fosse um barco num agitado mar de poeira. Quando acelerava um pouco mais, o motorista corria o risco de ter o corpo atirado para cima e a cabeça lançada contra o teto.

Como é feia a cidade maravilhosa vista do lado de lá – do lado dos subúrbios e da periferia, do lado da miséria.

Deu muito trabalho chegar, mas eu esperava que valesse a pena. Não valeu, porém. O que eu vi de mais interessante aquela noite foi uma jovem alta, morena, dançando um *ponto* no meio do terreiro. Ela rodava o corpo com tanta graça e sensualidade que as pessoas paravam discretamente para admirá-la. Quando levantava a cabeça, seus olhos verdes meio em transe pareciam atravessar os mortais presentes para estabelecer uma comunicação direta com os santos.

Eu já devia estar há alguns segundos extasiado por aquela orixá em movimento, quando fui despertado pelo riso malicioso de Rivaldo: "Uma deusa, né?".

Só muito mais tarde eu viria a saber que ela era a personagem mais intrigante desse livro. Se tivesse continuado dançando, eu continuaria lá até hoje. Mas a jovem deusa parou logo e sumiu.

Alguma coisa no comentário de Rivaldo me fez suspeitar de que não era apenas por interesse antropológico que ele vivia metido ali. Quando revelei minha suspeita, ele protestou: "Que isso! Sou bem casado."

Depois de quase duas horas em meio a um calor inacreditável, diante do altar de dona Lucinda, e me achando sob o manto protetor de Oxalá e a tutela dos orixás, recebendo as bênçãos de Iemanjá, compreendi o verdadeiro sentido da expressão "nossos santos não se cruzam".

Não houve meio de fazer os santos da mãe-de-santo Lucinda e os meus combinarem. Sua pele negra, retinta, tinha alguns sulcos no rosto, mas o que mais se destacava nela eram os olhos, e destes decididamente eu não gostei. Quando se fixaram em mim, pareceram me fulminar.

Pelo menos uma vez, ao encará-los, tive a impressão de que mudavam de cor, como os de um felino à noite. Dizia-se que eram capazes de paralisar qualquer mau-olhado. Uma noite, todo mundo viu no terreiro, ela fez isso com uma concorrente invejosa que aparecera por lá. Dona Lucinda devia ter uns 60 anos, ou muito mais, era difícil calcular. Poucas vezes tirava o cachimbo da boca, mesmo quando falava.

Talvez porque estivesse muito atarefada, com muitos clientes esperando, ou mais provavelmente por causa de minha ansiedade, insistindo com uma certa urgência para entrevistá-la sobre inveja, o fato é que o encontro resultou num fracasso. Não chegamos a um acordo.

Na primeira chance que teve, se desembaraçou de mim como de um visitante importuno. Praticamente convidou-me a me retirar, alegando que não queria saber de inveja e que eu não deveria "mexer com isso, não". Não satisfeita, ainda me jogou na cara, olhando firme, uma frase que soou como praga: "Você tá muito carregado, devia tomar cuidado!".

Na saída, Rivaldo perguntou se eu daria carona a uma amiga e pediu para eu esperar um pouquinho. Voltou logo depois trazendo uma moça alta que, no escuro, levei algum tempo para reconhecer. Só quando ela abriu a porta do carro e a luz interna se acendeu, pude ver seu rosto: era ninguém menos que a "deusa" que há pouco estava dançando. Era Kátia.

Ele sentou-se na frente e ela atrás. Ao deixar os dois na altura da Lagoa Rodrigo de Freitas, tive vontade de dizer a Rivaldo que sua amiga era muito bonita, mas pena que não falava.

Fizemos uma viagem de uma hora e se ela pronunciou meia dúzia de frases, foi muito. Aliás, para falar a verdade, nós três quase não conversamos. Eu até que me esforcei, fiz duas tentativas de puxar papo, mas umas cutucadas do meu carona da frente me avisaram para não continuar.

A primeira foi quando comecei a reclamar da grosseria da "velha macumbeira" comigo e a segunda logo em seguida quando, mudando de assunto, eu perguntei se ele não podia contar direito aquela história de inveja em que um amigo matava o outro.

Na manhã seguinte bem cedo, Rivaldo me ligou para comentar minhas gafes: a moça simplesmente era filha de criação da "velha macumbeira" e, para piorar a situação, trabalhava no escritório do invejoso que teria matado o amigo por quem ela era apaixonada.

Perguntei se ela tinha ficado muito zangada. "Que que você acha?", ele respondeu. Quis saber também se "rolava algum clima" entre os dois, mas Rivaldo se abespinhou todo e pediu para eu não brincar mais com isso. Como compensação, introduziu o tema que sabia que era o que me interessava: a história dos amigos, que ele me ajudaria a apurar.

Não sou supersticioso nem místico e, naquela noite, fui embora do terreiro de dona Lucinda mais aborrecido por não ter conseguido a entrevista do que com o "diagnóstico". Lamentei o incidente porque tinha me preparado para a entrevista. Levara comigo várias questões. Lera muito sobre mau-olhado e queria comparar a teoria com a prática. Apesar das peculiaridades muito especiais que o fenômeno tinha no Brasil, ele era universal e ancestral.

Confesso que fiquei um pouco decepcionado quando descobri que muito antes dos brasileiros, os gregos antigos já eram obcecados pela inveja, já usavam o verbo *baskainein* para enfeitiçar com o mau-olhado. Aliás, também os romanos *fascinavam*, ou seja, empregavam o termo *fascinare* no sentido de dominar magicamente com o olhar. Eles acreditavam que não apenas as pessoas, mas também animais como cobra, crocodilo, lobos e gatos detinham o poder de *fascinar*.

O mau-olhado estava na própria constituição etimológica da palavra inveja. *Invidere*, em latim, tinha essa conotação, significava olhar enviesado, de soslaio. E olhar enviesado é ter mau-olhado – é fazer mal, causar malefícios com o olhar, projetar impulsos destrutivos em alguém. O mau-olhado, ou o olho gordo, ou olho grande, é uma das armas que a Igreja atribui ao demônio para "infectar com o mal" a quem ele olha.

Fechar os olhos dos mortos, um costume universal, seria também uma providência supersticiosa. Alguns povos antigos punham moedas no lugar dos olhos dos mortos para que ficassem fechados e não pudessem lançar olhares invejosos contra os vivos. Para Elias Canetti, o grande escritor búlgaro, os mortos partem "cheios de inveja daqueles que deixaram para trás".

De fato, ainda que o sentimento invejoso seja um estado de espírito que mobiliza vários sentidos, o seu poder simbólico está concentrado no olhar. O filósofo Francis Bacon chamava a inveja de "ejaculação do olho" e a astrologia considera planetas e astros como olhos celestes, portadores de influências boas ou más.

Nas representações artísticas, há exemplos clássicos da associação do olhar com a inveja. No mais famoso deles, na *Divina*

Comédia, Dante concentrara o castigo divino nos olhos, colocando os invejosos no segundo patamar do Baixo Purgatório, envoltos em cilício, colados numa parede rochosa e com as pálpebras costuradas com fios de aço.

Nessas leituras eu descobrira também que os sistemas de defesa contra o mau-olhado são tão velhos quanto a humanidade. Os romanos de antigamente já fechavam a mão e enfiavam o dedo polegar entre o indicador e o médio para fazerem a figa. Mesmo entre os judeus, os tefilins e as mezuzás poderiam ser considerados amuletos.

Embora algumas vítimas clássicas da inveja, como Abel e Otelo, não tivessem percebido as artimanhas e maquiavelismos de seus algozes Caim e Iago, o mais comum é desenvolvermos defesas e disfarces, às vezes até sem sentir.

Uma inocente gorjeta pode ser um artifício inconsciente para atenuar ou desarmar um olhar invejoso. Um elogio exagerado pode esconder um ataque de inveja – tanto que costumamos desmerecer fingidamente o objeto do mau-olhado. Quando alguém diz que a nossa casa é bonita, nos apressamos em acrescentar uma restrição: "É, mas está cheia de problemas." Se alguém insiste numa declaração enfática do tipo "como você está bem!", nos surpreendemos mentindo: "Você é que pensa" ou "Eu é que sei".

As moças de minha época de adolescência eram educadas para se defenderem de elogios femininos à queima-roupa. Quando uma colega lhes dizia "você está linda!", deveriam responder: "São os seus olhos." Atrás da delicadeza, havia o artifício de devolver ao olhar da observadora o que de ruim ela pudesse estar desejando.

Em muitas culturas, o louvor é sempre recebido com reservas, porque se teme que ele funcione como mau agouro. No Brasil mesmo, quando algum maledicente resolve falar bem de alguém, pergunta-se com humor, pensando numa terceira pessoa: "Contra quem é o elogio?". Um personagem do romance de Miguel de Unamuno, *Abel Sánchez,* garante: "Ninguém elogia com boas intenções."

Evidentemente, há uma certa má-fé em considerar todos os elogios invejosos. Há elogio sincero e bajulação suspeita. O problema é descobrir quando se é objeto de um ou de outro – do bom ou do mau-olhado. Cético em relação à eficácia dos dois, em breve eu iria constatar que o feitiço não habita apenas os terreiros; freqüenta também lugares improváveis.

Razão e crença

Quase todo domingo de manhã, Rubem passava lá em casa para bater papo e tomar umas doses de vodca, de preferência Wyborowa. Ele se habituara a essa marca desde o tempo em que esteve exilado na Polônia, nos anos 70. Bebia um pouco, fumava bastante e voltava para casa com a certeza de ter cumprido um programa saudável, só porque fazia o percurso pedalando uma bicicleta. Mas este era um domingo chuvoso de outubro, daqueles com que a primavera às vezes surpreende o Rio. O sudoeste tinha soprado com violência de madrugada e sempre que isso acontece, Ipanema amarra a cara e fica irreconhecível. A chuva que costuma vir com o vento estende uma cortina cinza que afasta os barcos, apaga os contornos e faz desaparecer as ilhas Cagarras, que demarcam o bairro no oceano. Em vez de se abrir, essa cortina avança, fechada, do mar para o litoral.

A única compensação é que, sem a paisagem habitual lá de fora, fica melhor para conversar dentro de casa.

Eu convidara Rivaldo, queria que ele conhecesse Rubem. Os dois antropólogos, com suas diferenças de geração e religião – um era protestante e o outro, católico –, tinham pelo menos um campo comum: as manifestações de religiosidade popular. A inveja e o mau-olhado estavam muito presentes em seus estudos.

Com 54 anos, Rubem, o protestante, despertou para o fenômeno na Polônia comunista e católica, estudando filosofia, lendo Roger Bastide e Lévi-Strauss e, através deles, se reencontrando com o Brasil. Paradoxalmente, não foi atraído pela Teologia da Libertação, mais condizente com sua prática política, mas pela antropologia da religião.

Já Rivaldo, filho de um político que também se exilara depois do golpe militar de 64, só que na França, obtivera seus créditos de mestrado na École des Hautes Études de Sciences Sociales – EHESS – de Paris. Havia voltado, com 37 anos, para tentar se inscrever no Programa de Pós-Graduação em Antropologia Social do Museu Nacional. Sua dissertação seria sobre religiosidade popular. Queria – era a sua "escolha teórica" – surpreender "não a eficácia simbólica de que falava Lévi-Strauss, presente na umbanda e no candomblé, mas a eficácia literal da quimbanda".

A tese de doutorado de Rubem, chamada "Antinomias da liberdade", discutia os paradoxos da razão. Era, como diz, "uma crítica racional à racionalidade", um questionamento da capacidade do pensamento ocidental de resolver seus grandes dilemas existenciais, históricos e sociais.

Esse caminho de estudos passava pela crítica do marxismo e do hegelianismo e se abria para a idéia do relativismo cultural – "para uma razão paradoxal permitindo não uma solução única, mas diferentes alternativas".

Rubem sabia que os textos clássicos da antropologia interpretavam o feitiço como uma maneira de lidar com os microconflitos e as tensões sociais. "Inveja tem a ver com conflito: entre vizinhos, entre papéis sexuais, na família, na hierarquia social."

Como a inveja no protestantismo e no catolicismo são formas pecaminosas de lidar com as diferenças, e, portanto, reprimidas, Rubem se concentrou na umbanda e no candomblé, onde esses sentimentos são expressos sem culpa.

"O feitiço é mais difundido para resolver conflitos entre iguais na hierarquia; quem está lá em cima não faz feitiço contra quem está embaixo. Entre os iguais é que a diferença, quando surge, ofende e ameaça", ensinava Rubem.

O "fenômeno da diferença" estava também presente nas preocupações de Rivaldo, o que me levava a suspeitar que, em última instância, feitiço e mau-olhado serviam de pretexto para os dois tentarem entender o mecanismo das desigualdades sociais.

"O invejoso não gosta da diferença", dizia Rivaldo. "A inveja é o *elemento regulador* das desigualdades, o que reduz seu desequilíbrio."

Sintomaticamente, em matéria de diferença sua casa era um laboratório. Dias antes ele me levara para conhecer Lia, sua jovem esposa, arquiteta e *designer* com uma forte influência racionalista das escolas de Bauhaus e de Ulm. Se houvesse alguma dúvida sobre esta preferência, era só olhar em volta.

De um lado, duas das lendárias cadeiras de Marcel Breuer, as "Wassily", desenhadas em 1925 para Kandinsky. No fundo da sala, outro modelo famoso: a poltrona Charles Eames.

Antes que eu fizesse qualquer comentário, ela se adiantou: "Se eu pudesse, tinha aqui um museu só de clássicos do *design* moderno – Mies Van der Rohe, Moholy-Nagi, Albers, Eames, Breuer." Em arquitetura, Lia ainda admitia ser pós-moderna. "Mas em *design*, sou moderna, não abro mão."

O mais interessante, porém, estava na parede. Disputando com a vista do mar da Barra da Tijuca, um quadro *naïf* de Jesus Cristo ameçava expulsar um pôster de Paul Klee. A incongruência iconográfica parecia ser o correspondente estético do sincretismo religioso que eu iria encontrar no quarto, para onde Rivaldo e Lia me conduziram a seguir.

Da cabeceira da cama pendiam alguns rosários; na mesinha ao lado, havia um altar envidraçado com várias imagens de santos. Ao lado, finas hastes de incenso aceso me despertavam remotas evocações religiosas e pagãs. O cheiro lembrava igreja, mas também aqueles coloridos rituais hippies dos anos 70.

Faço cara de quem não está entendendo nada e ela, rindo, diz: "É contra mau-olhado!". Achei que podia estar brincando. Como é que conseguiam conviver na mesma casa e na mesma cabeça a racionalidade bauhausiana com demonstrações tão explícitas de feitiçaria?

Aquela filha de pai alemão e mãe francesa, ou seja, produto do casamento do rigor com a razão, acreditava na força das orações, fazia uso de objetos e amuletos, e vai ver não dispensava um *trabalhinho.* "A inveja é uma forma ativa de energia que se transmite pelo olhar e pela vontade", me disse Lia. "As defesas contra ela não devem ser apenas espirituais, mas também materiais."

Já estamos saindo do seu quarto e ela vai me contando que não deixa de ter em casa um pedaço de enxofre, três pedrinhas de sal, e folhinhas de arruda, que renova a cada sexta-feira. Sempre que possível há também rosas vermelhas, excelentes para absorver a energia negativa dirigida aos moradores. Sem falar em várias figas.

No centro da sala, sobre a mesa de Mies Van der Rohe em cristal maciço sobre pés de aço em xis, estão algumas pedras brutas. Lia vai apontando: "Esta aqui é a pedra da saúde, uma ametista; essa outra, rosa, é para aumentar o amor; este aqui é um cristal preto muito importante, desde que tenha esses sulcos. Se for liso, lapidado, a energia negativa bate nele e fica circulando pela casa."

A atração principal fica para o final. "Vem aqui ver", ela me leva até a porta de entrada e eu vejo no chão, no canto, um copo com água. Dentro, alguma coisa estranha está posada no fundo e eu não identifico logo. "São dois olhos de boi, um macho e uma fêmea", ela informa. "Quando entra uma pessoa aqui e joga um mau-olhado, um deles se parte, estoura e vai para a superfície, fica boiando."

Arranco dela uma boa gargalhada quando lembro o que poderia acontecer naquele instante: "Imagina se eles resolvem estourar e subir agora! Eu olhando para você e os olhos de boi subindo!".

Com a mesma segurança com que fala da influência que a Bauhaus de Weimar, "na fase Walter Gropius", exerceu sobre a estética moderna, Lia discorre sobre a energia misteriosa que um dia, dentro de sua casa, quebrou copos, estilhaçou um vaso com uma bela orquídea e estourou uma garrafa de vinho na geladeira – tudo ao mesmo tempo.

Quando no domingo expus meu espanto, tanto Rivaldo quanto Rubem consideraram antropologicamente natural o que eu, pobre incréu, achei extraordinário. "Lia é tão perceptiva quanto um artista", justificou o marido. "Ela fala de um nível que é anterior aos fatos."

Eu ia dizer o quê?

O engraçado é que Rivaldo misturava essa tolerância mística com um realismo e um ceticismo quase insuportáveis. Acreditava, por exemplo, que o "vírus da inveja" era "imbatível" e infectava todo o comportamento humano, exercendo um certo controle social, uma patrulha. "A inveja controla a vaidade e o orgulho; além disso, estimula a inovação, impedindo a acomodação. Ela é socialmente útil."

Numa ocasião discutimos desigualdades sociais e ele defendeu a tese de que o ressentimento estava na origem das reivindicações e utopias igualitárias. "O homem procura motivos de indignação para alimentar sua inveja", ele disse. "Inveja e má consciência são irmãs."

No meio da conversa, soltava advertências assim: "Desconfie de quem é sempre do contra, os muito críticos, os intolerantes, os antitudo. No fundo, não passam de impotentes invejosos." Ele me provocava: "A sua profissão, por exemplo, está cheia de ressentidos. O que são as colunas de fofocas e mexericos, as críticas impiedosas, senão serpentários de venenos?".

Naquele domingo, depois de muitas vodcas e cervejas, os dois antropólogos insistiram para que eu fizesse pesquisas nos centros de umbanda e candomblé. "Se você quer falar de mau-olhado, não pode deixar de ir aos terreiros", aconselhou Rubem. Ele conhecia algumas mães-de-santo e ficou de me indicar nomes, além de bibliografia.

Rivaldo, após ter me levado a dona Lucinda, queria agora que eu procurasse outra mãe-de-santo, "muito séria e competente", que morava na Zona Oeste do Rio. Chamava-se Marlicene.

Minha primeira experiência nesse campo não fora um sucesso, mas eu ia insistir. Antes, porém, eu precisava dar uma passada no hospital para um exame rápido, de rotina.

Não podia imaginar que o episódio, conforme se verá nos próximos capítulos, iria alterar minha vida e se intrometer no livro.

O exame

Não foi por causa das profecias da mãe-de-santo da Baixada que me submeti àquele exame médico. A previsão de que eu estava "muito carregado" não chegou a me causar impressão – da mesma maneira que não me preocupei com a advertência de não "mexer" com a inveja. Devo ser meio incompetente para captar as mensagens que o destino me envia. Eu já vinha expelindo sangue pela urina há uns oito meses, mas estava por demais envolvido com o trabalho para dar atenção ao que parecia ser conseqüência de um pequeno cálculo no rim. Só resolvera fazer uma urografia e uma ultra-sonografia naquela sexta-feira, 1º de novembro de 1996, para tranqüilizar minha mulher. Ela, sim – ou seu pressentimento? – foi responsável por eu estar ali agora de barriga para cima.

Achei que a urografia estava demorando demais, mas atribuí aquela repetição interminável de chapas de raios X à dificuldade em encontrar a minha pedrinha, detectada meses antes, justamente quando comecei a "urinar coca-cola", como eu dizia, ou com "piúria significativa", como registravam os exames, ou seja, com uma presença perigosa de duas cruzes de hemoglobina na urina.

Devo ter cochilado um pouco, enquanto o rapaz realizava a monótona operação: me mandava prender a respiração, disparava o raio X, pegava a placa de chumbo, levava à sala vizinha para a revelação e voltava com outra placa. Depois de não sei quantas chapas, mais de meia dúzia com certeza, ele me liberou:

"O senhor pode se levantar e passar para a outra sala."

"Afinal, encontraram a pedra no rim?", eu quis saber.

Ele pareceu não entender bem a pergunta, respondeu um "não" seco que encerrava qualquer possibilidade de conversa e me levou até a saída, indicando o caminho para a outra sala onde iriam continuar os exames.

Uma enfermeira me fez entrar e pediu que eu me deitasse numa cama estreita ao lado do aparelho de ultra-sonografia, retirando-se em seguida. Já começava a cochilar quando alguém que eu não vi chegar me tocou delicadamente com a mão e disse:

"Sou o Dr. Amarino, muito prazer, acompanhei lá atrás todo o seu exame."

Então era para ele que o rapaz levava aquelas chapas, pensei, enquanto aguardava que ele pusesse a funcionar o equipamento com o qual completaria a exploração de minhas regiões meridionais.

Eu já tinha feito esse exame algumas vezes, sem qualquer imprevisto, e aquele deveria ser mais um de praxe. Me conheço: deitado naquela penumbra, não ia demorar a cochilar de novo.

O rosto do médico parecia acender e apagar, iluminado pela luz azulada e intermitente que saía do aparelhinho parecido com uma televisão que transmitia as imagens do meu rico interior. Era como se houvesse alguém na frente de uma TV assistindo a um programa. Só que o *programa* consistia em expor para aquela audiência única os meandros do meu aparelho urinário e das áreas vizinhas.

O Dr. Amarino levou alguns minutos naquela exploração. Em seguida, sem rodeios, foi direto ao assunto:

"Tenho uma notícia para lhe dar."

Não esclareceu logo se a notícia era boa ou ruim, mas também não foi preciso. Ninguém fala desse jeito para dar uma boa notícia. Por isso, tive um ligeiro estremecimento. Eu ainda estava um pouco tonto em conseqüência do "contraste", aquela substância que injetam na veia para facilitar o raio X.

"Você está com um polipo na bexiga. Aliás, um não, dois."

A primeira reação a uma notícia dessas deveria ser uma imprecação, um xingamento, qualquer coisa, menos a que tive: "Polipos ou pólipos?", fiquei dizendo pra mim mesmo, como se minha saúde dependesse da descoberta gramatical e não de saber se – paroxítonos ou proparoxítonos – eles estavam de fato em minha bexiga.

Depois, acho que apaguei durante alguns segundos, o tempo de assistir a um estranho filme, desses que dizem que a gente vê quando está na iminência de um perigo, ou da morte.

Eu continuava ouvindo a voz do Dr. Amarino, mas ela estava distante, vinha de outra sala ou de outro mundo e se misturava com a imagem meio embaçada de duas mulheres: a mãe-de-santo dizendo de novo aquela frase que agora soava como maldição – "você está muito carregado"– e minha mãe mesma no meio de uma cortina de fumaça.

Eram duas cenas reais, mas a última fora vivida há mais de 40 anos, quando um raio caiu sobre ela em Nova Friburgo e, por milagre, deixou-lhe apenas o braço direito chamuscado, além de um susto quase mortal. Eu assistira a quase tudo – ouvi o estrondo e vi a onda de fumaça envolvendo o seu vulto ensangüentado, correndo.

Eu estava acabando de preparar a mala porque naquele dia me mudaria para o Rio. Ia tentar o vestibular na antiga Faculdade

Nacional de Filosofia, curso de Letras Neolatinas. O céu estava escuro, mas a chuva parecia distante, remota, se é que viria.

A imagem desse dia já me apareceu em sonho algumas vezes e naquela manhã se misturou com outra, de tempos depois, quando minha mãe, devastada por um câncer no fígado, teve sua vida abreviada com minha autorização. A morfina não fazia mais efeito, o médico não conseguia pegar nem uma veia mais, tentava a da mão, sem sucesso, tentava a do pé, já necrosada, e aí ele me disse que não havia mais nada a fazer.

Perguntou se eu queria que ele continuasse prolongando aquele sofrimento. Eu disse que não. "Você me autoriza a suspender os medicamentos?" Eu sabia o que ele queria dizer com a pergunta, respondi que sim e me debrucei na janela que dava para o quintal.

Devia ser mais ou menos meio-dia, o céu estava azul e o sol, forte; era um dia bonito. Fiquei ali pensando que faltavam seis meses para minha formatura, que minha mãe chamava de realização de seu "sonho". Lavara tanta roupa para fora, sofrera tanto e já tinha comprado o corte de seda para o vestido da festa. "Pra quê?", eu não conseguia deixar de perguntar em silêncio, sem saber a quem.

Minha mãe era devota, extremamente religiosa, parecia uma *mater* dolorosa. Para ela, o mundo era um vale de lágrimas. Acreditava como ninguém na comunhão dos santos, na remissão dos pecados, na vida eterna e, principalmente, na culpa e na mortificação.

Morria de medo de tempestade e de relâmpago. Tinha pavor de ser atingida por um raio. "Que bobagem!", os vizinhos diziam. Antes de qualquer chuva, a gente era obrigado a tapar com pano todos os objetos que produziam algum reflexo: espelho, talheres, fechadura. Atrás das portas, havia sempre dois ramos de palha benta pregados em cruz.

Até hoje, quando vejo um relâmpago, contenho o impulso de tapar os espelhos com um pano.

Ela tinha premonições. Ganhava eventualmente pequenas quantias no jogo do bicho e adivinhava a chegada inesperada de parentes. Uma vez, um espírita lhe atribuiu o dom da mediunidade. "Deus me livre", mamãe respondeu, se benzendo.

Aquele dia não ia chover, ela devia saber, sentia o cheiro de longe. Só assim se explica que estivesse ali no tanque, no alto do morro onde morávamos, lavando peças de roupa que podiam esperar o dia seguinte. Mais acima, na torre da Rádio, havia um pára-raios e todo mundo dizia, para tranqüilizar minha mãe, que ele absorvia faíscas. Apesar disso, ela não se aventuraria a ficar no quintal se desconfiasse que ia chover.

E não choveu, mas houve o estrondo. Corri e custei a vê-la no meio da fumaça, gritando, o sangue pingando do braço. Havia uma pequena escada que separava o quintal da porta da cozinha, onde estávamos, eu e minhas irmãs. Mas ela não subia, ficou rodando, rodando, acho que sem enxergar.

Se o raio não tivesse deixado um buraco do tamanho de uma bola de tênis na parede de cimento armado do tanque, perto da torneira, ia aparecer alguém para dizer que se tratava de assombração. Nunca chegamos a saber se ela foi de fato atingida de raspão pelo raio ou apenas pelos estilhaços de cimento do tanque, após o choque.

Quando conseguiu chegar à cozinha, minha mãe murmurou mais para ela do que para nós: "Eu não disse?!".

Mamãe, a própria superstição, carregava a crença ancestral de que o raio seria um portador mágico do mal ou um castigo – digamos que uma forma desnecessariamente espalhafatosa de punição divina. No sonho, certamente por influência de minhas leituras recentes, eu associara tudo ao mau-olhado.

Lera aqueles dias que, muito antes de Cristo, o filósofo Demócrito acreditava que o invejoso liberava "átomos raivosos" e "maus". Heliodoro e Plutarco se referiam a "flechas envenenadas", "ar emanado", "cheiros" e "vozes". Para os gregos antigos, raios e relâmpagos faziam parte da fúria invejosa. Também a tradição judaica acreditava que o mau-olhado concentrava dentro de si o "elemento fogo", e Francis Bacon, muito mais tarde, chegara a falar dos "raios venenosos" que a inveja emitia e o invejoso disparava nos outros. Tudo fazia sentido – se numa hora dessas alguma coisa fizesse sentido.

"Parece que não é uma boa notícia, não é doutor?", consegui finalmente perguntar.

Não houve resposta e eu não estava com disposição de insistir. Era visível que o Dr. Amarino não queria avançar diagnósticos. Não era de sua atribuição, e sim do colega que pediu o exame.

Em lugar da resposta, ele passou a me distrair com uma série de lições sobre aquela câmera que fingia me massagear para filmar meus mais recônditos segredos corporais. "Essa maravilha, a ultra-sonografia, nós devemos ao radar", disse o médico, enquanto continuava filmando. "É uma invenção da tecnologia de guerra", informou, acrescentando com ironia: "Até que enfim a guerra fez alguma coisa pela vida."

Em seguida, o Dr. Amarino passou a expor uma exaltada defesa de Madame Curie, cuja importância, segundo ele, foi um pouco abafada pela imagem grandiosa do marido. Não me perguntem por que a grande dama da ciência francesa entrou naquela sala escura àquela hora, me surpreendendo de cueca, barriga pra cima e meio atarantado.

"O senhor sabe que ela era bem mais nova e foi aluna dele, do Pierre?" Eu não sabia. "Uma mulher admirável, que contribuiu muito nas descobertas do marido! O fígado tá bom, o rim também, boa a próstata, o baço tá ok, você já leu os diálogos de Platão sobre o julgamento de Sócrates?"

Não, eu não tinha lido. Algumas coisas daquele dia lembro com clareza, outras não. Tenho dúvidas, mas acho que o filósofo suicida se intrometeu na conversa porque devo ter informado ao médico sobre as pesquisas que estava realizando. Dias antes eu lera uma definição da inveja feita por Sócrates, ele mesmo um invejado em seu tempo. Dizia que a inveja era uma espécie de dor, e invejoso era quem se aborrecia com o sucesso dos amigos. Será que era isso mesmo? Por via das dúvidas e por letargia, não exibi meus conhecimentos. Platão considerava seu mestre uma vítima da inveja e chegara a escrever na *Apologia* que Sócrates também estava convencido de que tinha sido condenado por "calúnia e inveja de muitos".

Eu trouxera há tempos da França um livrinho interessante chamado *Le procès de Socrates,* com a história de sua condenação e morte 399 anos antes de Cristo. Mas não conseguia me interessar pela conversa, mesmo estimulado por aquela curiosa raridade: um médico que viajava com tanta facilidade de minha bexiga até a Atenas de 25 séculos atrás.

Ele discorria sobre um filósofo que amava o diálogo, que de tanto perguntar podia ser considerado uma espécie de padroeiro dos jornalistas, se tivesse escrito alguma coisa. Continuava me banhando com sua erudição, e eu nada.

"Você sabe o que o grande Sócrates respondeu ao juiz que lhe disse 'o senhor está condenado à morte'?"

Também essa eu não sabia e ele não perdeu tempo:

"O juiz decretou: 'O senhor está condenado à morte.' E Sócrates disse: 'O senhor também.'"

A moral da história era clara: estamos todos condenados a morrer, mais cedo ou mais tarde, a hora não faz tanta diferença assim. Mas demorei tanto a reagir que o Dr. Amarino deve ter ficado decepcionado. O meu silêncio obtuso fez com que ele mudasse de assunto:

"O senhor quer ver os seus polipos?"

Virou então um pouco o vídeo, levantei com esforço a metade do corpo e, meio de lado, voltado para a direita, vi imagens incompreensíveis que pareciam se mover e palpitar na tela. Em destaque, ele apontou com o dedo dois pontinhos luminosos, como alfinetes de cabeça, duas ínfimas lâmpadas, pequenininhas. No canto, um número que ele me ajudou a ler. "São seis milímetros; os seus polipos têm seis milímetros", ele anunciou.

Não sabia se seis milímetros no caso era pouco ou muito e continuava sem saber se a pronúncia era pólipo ou polipo, mas fosse o que fosse, não me agradava que aqueles intrusos tivessem escolhido minha bexiga para nela se incrustarem.

Somos capazes de descrever com precisão fotográfica um ambiente, uma paisagem, mas não conseguimos relatar o que mais julgamos conhecer: nós mesmos, o que sentimos em determinada situação. Aprendi muito naqueles dias sobre mim mesmo, mas sou incapaz de reconstituir agora o que senti ao receber a notícia de que estava carregando aqueles corpúsculos estranhos no meu corpo.

Só sei que, sem que a palavra "câncer" tivesse sido pronunciada uma única vez, nem por mim nem por ele, saí da Clínica Sorocaba, em Botafogo, duas horas depois de entrar, certo de que o grande ausente da conversa tinha entrado em mim como um raio.

Eu estava mais desnorteado do que deprimido. Entre as imagens que passaram na minha frente enquanto eu deixava a casa de saúde, algumas eram inevitáveis, como a do meu filho dando entrada em estado grave, meses antes, depois saindo salvo, graças a Deus, de outro hospital perto dali.

No caminho, ensaiei um recurso para dar a notícia a Mary de forma atenuada. Chegaria em casa dizendo bem naturalmente:

"Demorou, mas o médico viu tudo: o fígado tá ótimo, o baço, os rins, não tem nem mais aquela pedra. Só tem um pequeno negócio na bexiga, um polipozinho, talvez dois, mas ele disse que sai sem problema, é uma operaçãozinha sem risco nenhum."

Mary estava na cozinha, local que freqüenta pouco por uma certa incompatibilidade com a culinária. Preparava o que seria ao mesmo tempo meu café da manhã, já que ainda estava em jejum, e o almoço.

Ela refogava a couve, me lembro bem, quando simulei aquele ar de que estava tudo bem, imagina, não podia estar melhor.

Há reações que a gente acha que só existem no cinema ou no teatro, esquecendo-se de que a arte imita a vida, mesmo quando parece o contrário.

Foi instantâneo: quando acabei de falar, ela deixou a frigideira cair no chão. Assim, pluf. Abaixou-se xingando, como se estivesse lamentando o incidente, mas na verdade o que maldizia era aquela notícia. Colocou a frigideira em cima da bancada da pia, desligou o fogão, correu para o quarto e desabou sobre a cama. Chorou ali em alguns minutos o que não chorou nos nossos 34 anos de casamento.

Ágil de pensamento e raciocínio, Mary é capaz de prever e antecipar situações que a mim me custam semanas. Quando eu pronunciei na cozinha a palavra polipo, ela se deu conta imediatamente do que o médico estava falando.

Me controlei e tentei consolá-la. A minha vez chegaria no dia seguinte. Naquela hora passei a tomar providências. Liguei para os meus dois médicos – Balli e Higa – falei dos exames, dos polipos, e comuniquei que o Dr. Amarino iria entregar seu relatório dentro de umas duas horas. Eu queria fazer alguma coisa. Uma estranha energia me movia para a ação.

"Eu quero liqüidar essa porcaria logo, operar amanhã, no máximo no começo da semana", foi o que pedi ao Dr. Higa. Era como se tudo fosse se resolver com a retirada dos polipos.

Por medo, choque, bloqueio, sei lá por que, Mary e eu não tocamos mais no assunto aquele dia. Tínhamos feito um pacto: qualquer que fosse o desfecho, não permitiríamos que nossa felicidade fosse estragada antes. Depressão e baixo astral, jamais. Esse gostinho não daríamos ao câncer. Como a inveja, ele gosta de tristeza.

À noite fomos para a festa de aniversário de um querido amigo, Ziraldo, fingindo para nós mesmos que nada tinha acontecido.

Para mim, isso não custava muito esforço. Tudo o que ocorrera pela manhã me parecia ainda um desses absurdos que surgem em pesadelos ou delírios, parte de um sonho ruim como o do raio atingindo minha mãe. Para Mary, contudo, foi mais difícil, tenho certeza, porque ela é mais racional: não se ilude, quer saber tudo, pergunta, replica, atormenta os médicos com sua lucidez.

No caminho, conversamos sobre futilidades: os compromissos da semana seguinte, os telefonemas do dia, aquele calor extemporâneo, a festa, quem estaria, quem não iria. O trajeto entre as duas casas era curto e a viagem foi rápida.

Em pouco tempo, desembarcaríamos dentro daquela alegria que costumava ser a casa do meu amigo, ainda mais com uma festa de comemoração um pouco atrasada de seus 64 anos. Reencontrar pessoas que não via há tempos, beber até ficar de pilequinho, curtir aquele ambiente de gostosa confusão, em que você começa a conversar com um, é interrompido por outro, fica com uma frase no ar já começando uma segunda, é atropelado por várias perguntas e por várias pessoas ao mesmo tempo – esse tumulto ia me fazer bem, depois daquele dia.

Olho ao meu redor e descubro um canto para sentar. No meio do burburinho, há crianças correndo de um lado para o outro. São os netos dos donos da casa e de outros amigos. Por um instante, fico com a sensação de que eles fazem barulho demais e isso me incomoda. Mas não há mais lugar vago, só aquele. Sento e ganho o primeiro uísque. Depois, reparo bem e constato que as crianças estão até comportadas; brincam, e não chegam nem mesmo a fazer barulho. Mas o que será então aquele desconforto desconhecido que sinto e não consigo expressar?

À medida que aumentava a sensação desagradável, vou percebendo que o que estava me angustiando não era o suposto barulho ou a aparente correria, mas a própria presença daquelas crianças – vivas, alegres, ali na minha frente.

Demorei um pouco, mas acabei me dando conta de que o que me incomodava mesmo era ter sido assaltado, diante daquela profusão de netos, da suspeita, muito real àquela altura, de que provavelmente não teria os meus. Seria inveja? Como estava todo envolvido com o tema, achei que só poderia ser resultado da idéia fixa. Imagina, ter inveja por causa de netos! Ainda mais que nunca tivera como sonho de consumo estender a descendência além dos filhos.

Mas então por que aquele sentimento de quase mágoa diante do que eu não tinha e que naquela noite achava que jamais teria?

Um amigo me tirou desse estado: Zé Aparecido. Ele saiu do outro lado da sala para me chamar e me fazer sentar perto dele, onde estavam outros convidados.

"Você tá muito triste. Vem pra cá, pro lado dos bons", brincou.

Mandão, não havia para Zé obstáculos na hora de ajudar alguém, mas também não admitia que se discutisse uma "ordem" sua – fosse o convite para uma festa ou para sentar.

"Como é que você está?", perguntou, me olhando nos olhos e tentando descobrir alguma coisa. "Tou te achando com uma cara esquisita, não estou gostando."

"Pára com isso, Zé, tou ótimo", menti, meio irritado.

Mudar de lugar me fez bem. Acomodado na poltrona, vendo as pessoas chegarem com os presentes e participando das brincadeiras e gozações, deixei de pensar nos netos que provavelmente não ia ter e passei a me interessar pela noite que estava ali ao meu alcance.

O uísque começava a cumprir sua função. Casa de humorista, principalmente em noite de festa, não é lugar para se ficar triste. O pesadelo da manhã parecia um pesadelo mesmo, desses que ocorrem na infância distante. Como todo mundo em volta, eu estava alegre.

Não sei, no entanto, o que aconteceu em seguida. Não sei se foi o conjunto de músicos que começou a tocar alto no terraço, não sei se foram as conversas que passaram a ser quase gritadas, com o barulho abafando as vozes, o fato é que de repente eu tive uma sensação desagradável, uma vaga melancolia, algo como se aquele aniversário fosse para mim o último.

Já ouvira falar dessa síndrome de despedida, de *último olhar*, que costuma atacar as pessoas quando confrontadas com alguma doença incurável, mas nunca imaginei experimentá-la.

Pretextei então o barulho, o calor, o cansaço e disse pra Mary que eu queria sair logo – que ela disfarçasse, saísse discretamente pela frente. Eu daria a volta e sairia por trás. Vi sua cara de surpresa, mas ela não insistiu em ficar. Afinal, aquela não era sua maior surpresa no dia, nem a pior.

Passei pelo corredor, encontrei com ela no elevador e voltamos para casa como saímos: sem tocar no "assunto".

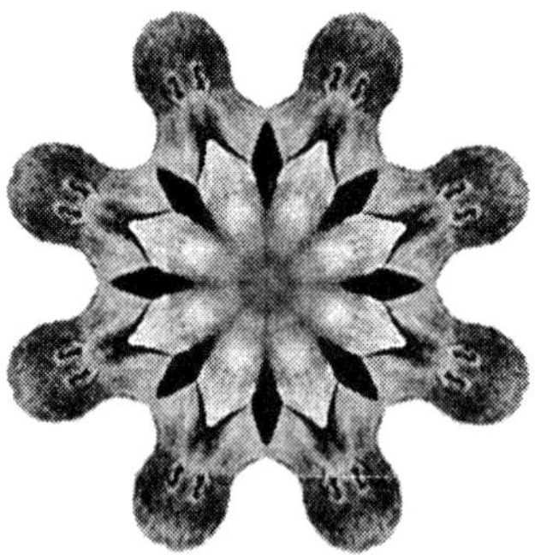

Eu já tinha estudado suficientemente a inveja para pelo menos identificar aquele sentimento indesejável, sorrateiro, meio mesquinho e perverso que me picara aquela noite. O meu estado de espírito continha muitos dos ingredientes que eu estava encontrando nas leituras e pesquisas sobre o tema.

Afinal, entre aqueles festivos representantes da mesma idade ou geração, coroas enxutos e saudáveis, só um carregava um possível câncer alojado na bexiga – eu. Talvez não fosse nem um câncer importante, talvez não viesse nem a me matar, se Deus quisesse, mas era ele que fazia a diferença.

Só é chato

No dia seguinte à festa do Ziraldo, liguei para o Dr. José Noronha, como fazia freqüentemente. Ele gostava de falar de política e de imprensa, e era crítico em relação às duas. Sabia falar mal muito bem do jornalismo. Funcionava para mim como uma espécie de ombudsman particular, quando eu queria exercitar meu masoquismo. Além disso, era meu conselheiro médico. "E aí, como vai o misterioso livro?", foi logo querendo saber. A pergunta se justificava. Umas semanas antes, ele ficara intrigado com um telefonema em que eu lhe colocara de repente a seguinte questão: "Você sabe se existe algum veneno que seja letal sem deixar vestígio?". O meu pedido exigia uma explicação, mas eu ainda não estava em condições de fornecê-la. Não quis nem adiantar como, ao pesquisar sobre a inveja, estava chegando perto de um caso que envolvia veneno e morte.

"Prometo que depois te conto tudo. Aliás, vou precisar muito de sua assessoria técnica", disse, criando suspense.

Zé vinha acompanhando meu trabalho e de vez em quando me dava idéias e sugeria livros. Sua última contribuição fora me emprestar o *Catecismo da Igreja Católica*, um compêndio que se apresentava com "valor doutrinal" e tinha prefácio do Papa. O tema da inveja era ali glosado pelo menos oito vezes e exigia-se em nome do décimo mandamento da lei de Deus que esse pecado fosse banido do coração humano.

"A inveja é um vício capital", dizia um dos trechos. "Designa a tristeza sentida diante do bem do outro e o desejo imoderado de sua apropriação, mesmo indevida." Depois citava Santo Agostinho, que via na inveja "o pecado diabólico por excelência" e dizia: "Da inveja nascem o ódio, a maledicência, a calúnia, a alegria causada pela desgraça do próximo e o desprazer causado por sua prosperidade."

O capítulo mais fascinante era o que explicava a "queda dos anjos" e a "voz sedutora" que havia por trás da opção de desobediência de nossos primeiros pais. "Foi pela inveja do Diabo que a morte entrou no mundo", fiquei sabendo.

"É muito difícil veneno não deixar vestígio", Zé respondeu afinal, depois de se convencer de que eu não ia satisfazer sua curiosidade, por enquanto. "Sempre deixa algum resíduo no sangue", continuou, "mas prefiro falar com um amigo que entende disso. Te ligo depois."

De fato, ligou, mas como só mais tarde fui tratar disso, acabei perdendo o número do telefone e o nome do médico.

Por isso é que no dia seguinte à festa do Ziraldo, quando telefonei de novo, ele foi logo perguntando: "E aí, como vai o misterioso livro?".

Adiantei que dessa vez "infelizmente" o assunto não era a inveja. "O livro fica pra depois, tá meio enrolado", aleguei, e era verdade.

"Então, o que que houve?", ele cobrou, impaciente.

Resumi o que tinha acontecido na manhã da véspera, falei da urografia, da ultra-sonografia, dos polipos e quando me referi ao sangramento e à freqüência com que ocorrera, ele se alterou. Percebi o tamanho da minha irresponsabilidade pelo tom de sua censura.

"Mas você não me falou nada, porra, não falou do sangramento, você tinha que ter me falado!"

Fiquei desconcertado com a bronca, ensaiei uma desculpa esfarrapada e acabamos combinando que dentro de alguns minutos eu daria uma passada em sua casa, a uns três quarteirões da minha, para uma "consulta", desde que fosse, como impus, regada a cerveja em copo bem gelado, como ele costumava servir.

Acho que levei mais de uma hora para chegar à casa dele. Para espairecer, resolvi dar antes uma volta em torno da Praça Nossa Senhora da Paz. Eu ficara alarmado com a sua reação ao telefone e tinha medo do que iria dizer sobre minha bexiga. Andei bastante, tomei coragem e fui até seu apartamento na rua Redentor. Enquanto o elevador me levava até o quarto andar, não pude deixar de me lembrar que naquela cobertura, onde haviam morado antes Guguta e Darwin Brandão, se escreveram algumas páginas da história do Rio dos anos 60. Como dizia o cronista Rubem Braga, nada acontecia em Ipanema sem passar por ali.

Encontrei Zé Noronha com alguns livros abertos. Parecia menos aborrecido do que se mostrara pelo telefone, o que me animou. Sem dúvida, enquanto me esperava, estivera lendo a respeito do caso, junto com sua mulher Cerinha, também médica.

"Preciso me informar mais", ressalvou, cheio de cautela. "Mas acho que ainda não é dessa vez que você vai", me acalmou.

"Isso quer dizer que não estou a perigo!"

Não afirmou que sim – o "diagnóstico" era incompleto e provisório, faltavam muitos elementos. Mas o quadro não lhe parecia grave. Entendi que ele não queria adiantar mais nada.

De qualquer maneira, eu estava mais aliviado. "Quando tiver mais novidades, te ligo", prometeu Noronha, propondo que agora a gente passasse a falar dos assuntos políticos do dia. Na conversa, consumimos duas horas e umas dez latas de cerveja.

No dia seguinte, domingo, eu tinha acabado de tomar café e me preparava para mergulhar na pilha de jornais do dia, quando o telefone tocou. Mal tive tempo de identificar a sua voz, ele foi dizendo:

"Olha, entrei na Internet, fiz uma atualização bibliográfica, visitei os anais de um congresso de 1995 sobre câncer no aparelho urinário do homem e as informações confirmam o que eu te adiantei ontem. Mesmo que seja câncer – vamos admitir o pior – o tratamento é por cistoscopia", ele informou. "Você me disse que o seu pólipo tem seis milímetros, é isso?"

"Acho que é, tenho quase certeza que foi isso que o Dr. Amarino disse", respondi.

"Pois bem, os riscos só são realmente importantes quando o tumor tiver mais de 5 centímetros – centímetros, veja bem", ele repetiu, "centímetros, não milímetros."

Ele não havia, porém, terminado o seu informe. "Mas há uma coisa desagradável", ele disse e eu fiquei apreensivo. "O problema é que, se for câncer, é recorrente, pode voltar, você vai ter que fazer um acompanhamento periódico."

Procurei uma madeira para bater com o nó do dedo e afastar a hipótese.

"O que significa esse acompanhamento?"

"Significa que, mesmo se voltar, o tratamento continuará sendo tópico, por cistoscopia, sem problemas. Só é chato."

Eu devo ter dado um muxoxo qualquer, porque ele disse: "Tá reclamando de quê? Não sabe nem se é câncer." A partir de então, a cada notícia sobre meu estado de saúde, Noronha desfazia qualquer tentativa de dramatização com o bordão "Tá reclamando de quê?".

Do que ele acabara de dizer, preferi guardar a esperança de que os meus minúsculos pólipos ou polipos jamais cresceriam até ganhar a dimensão de um câncer. Entre cinco milímetros e cinco centímetros havia uma distância salvadora.

Como já tinha marcado um compromisso antes, não pude chamar meu amigo à minha casa para festejarmos o seu relatório. Eu não tinha tantas razões assim para me sentir tão aliviado como estava. Afinal, ele não afastara a hipótese do câncer; apenas me tranqüilizava em relação à sua gravidade.

Mas não sei por que estava cheio de ânimo. Tanto que no final da conversa quis satisfazer uma curiosidade boba.

"Ah, sim, uma última dúvida", eu disse rindo. "Como é que se pronuncia mesmo: pólipo ou polipo?"

O resultado

Consegui marcar a cirurgia para o dia 7 de novembro de 96, uma semana após a ultra-sonografia. Nessa altura, achei que o livro sobre a inveja seria abandonado definitivamente, por falta de vontade. Mas não comuniquei nada à editora, resolvi aguardar os acontecimentos. No pedido médico para o exame pré-operatório, estava escrito "RTU-vesical", que eu não sabia o que era. Na Guia de Internação Hospitalar da Amil (prevendo a saída para o dia seguinte), se esclarecia a dúvida. A expressão técnica do que eu ia fazer era "ressecção endoscópica de um tumor vesical". Mas não eram pólipos ou polipos? O mal assumia, enfim, o verdadeiro nome. Fui ao dicionário ver o que significava vesical: "relativo à bexiga". "Ressecção endoscópica" queria dizer retirar por meio de um aparelho chamado endoscópio. E tumor, bem, tumor eu sabia o que era. Só não gostei de vê-lo atribuído a mim.

Pela primeira vez tive que encarar a possibilidade concreta de se realizar em mim o casamento dessas duas palavras: tumor e maligno. Pensei em pedir de volta ao Dr. Higa os meus pólipos.

Foi uma porrada. Sempre acreditei que tinha aquela saúde que num livro sobre a inveja se deve chamar apropriadamente de "invejável". Meu pai morreu com 97 anos, inteiro, saudável. Ao que tudo indicava, eu havia herdado dele o biótipo.

Nada aconteceria comigo antes de ficar velho, e ficar velho era chegar aos 80, no mínimo. Em 65 anos, nunca tinha sido operado. Agora, em menos de um mês, ia novamente para a mesa, ainda que a primeira cirurgia não tivesse passado de uma reles hérnia inguinal e essa agora não fosse com bisturi.

Eu marcara uma entrevista para um programa experimental de televisão. A jovem repórter viria logo depois do almoço. Em seguida, eu deveria conversar com dois colegas da revista *Le Point* sobre violência no Rio. E o meu único interesse naquela tarde se resumia àquela Guia de Internação.

Passei a manhã pegando resultados de exames, almocei às carreiras para receber os jornalistas e pouco depois tomei os dois dulcolaxs. Já era o começo da preparação para a manhã do dia seguinte, quando às 10 horas me internaria na Casa de Saúde São José. Ao meio-dia me submeteria à tal "RTU-vesical".

Foi um dia cheio e o tempo voou, ainda bem.

Me lembro pouco de como ocorreu a operação. Sei que fui com Mary para o hospital cedo e fiquei no quarto lendo o jornal. Algum tempo depois, uma enfermeira pediu que eu vestisse um daqueles uniformes azuis ridículos, abertos atrás de tal modo que parecem talhados para deixar a bunda aparecendo.

Em seguida, me deram um comprimido. Quando me levaram para a sala de cirurgia, eu já estava meio grogue. Não vi nada – nem quando voltei ao quarto, todo falante, contando a operação que hoje não me recordo de ter visto.

Acho que tirei de letra a cistoscopia porque o grande medo era evidentemente a biópsia.

Duas semanas depois da cirurgia, às seis e meia da noite de quinta-feira, 21 de novembro, eu interrompo a leitura de *Paula*, o sofrido livro em que Isabel Allende conta a morte da filha, para atender o telefone. Era Higa. Eu nem me lembrava que ele ficara de ligar hoje. Como sempre, não costumava falar muito, mais por timidez do que por deformação profissional, como pode parecer.

"É aquilo mesmo, é maligno", ele foi direto e conciso. "Mas não é um maligno devastador, é brando."

Estranhamente, não me choquei. No fundo já esperava a má notícia. O telefonema era apenas a confirmação. No dia anterior, eu fora ao Hospital de Ipanema e lá, meio por acaso, tive a quase certeza do caráter maligno do meu tumor, ou tumores, já que nessa altura se sabia que eram três e não dois como mostrara a ultra-sonografia.

"Higa, estou preparado para o pior", eu lhe dissera então, na sua sala do hospital. Era mentira, mas era para ele se abrir.

"A minha posição também é pessimista", ele adiantou. "Mas é uma posição que adotamos sempre, por precaução."

Econômico, ele fez uma pergunta que, à sua maneira, já era um diagnóstico:

"Quanto tempo você fumou?"

Havia um consenso médico em relação a isso – o cigarro era obviamente o maior suspeito, mesmo no meu caso, que não fumava muito e deixara o vício há um ano e meio. Por coincidência, naquele dia, como os jornais estavam noticiando, um outro vilão se juntava ao cigarro: segundo uma pesquisa, a poluição urbana também causava câncer na bexiga.

Estabeleci um pequeno debate teórico sobre isso com o médico. Eu supunha que o mesmo determinismo biológico que me fizera careca, por exemplo, podia ter inscrito no meu código genético esse câncer.

Se a gente já vem marcado ao nascer pelo destino, ou é escolhido depois pelo acaso, aleatoriamente, não adianta buscar relação de causa e efeito: pode ser o cigarro, a poluição, ou nada disso.

Higa riu com complacência, fechando seus olhos de nisei já naturalmente fechados. Era óbvio que achava graça desse acesso de filosofia barata. Por delicadeza não disse nada. Eu continuei. Afinal de contas, levava uma vida animada, mas sem grandes extravagâncias. Algumas doses de uísque nas festas, um chopinho nos finais de semana, e só. Tinha a história do cachimbo, ao qual voltara moderadamente após deixar de fumar cigarro. Isso seria suficiente para compor um quadro cancerígeno?

Nessa hora, o Balli desceu do seu andar e veio nos encontrar na sala do Higa onde havia ainda um outro médico. O assunto passou a ser o meu "caso". Foi então que percebi que todos ali tratavam como certeza o que até aquele momento era, oficialmente, uma hipótese.

No calor da conversa, os atos falhos apareciam a todo instante. Ninguém usava o condicional, mas o futuro; não diziam "seria", mas "será".

"Você não vai morrer disso, não, cara", brincou Balli, batendo delicadamente em minhas costas, na sua melhor mistura de franqueza e ternura. "Aqui em cima, tem um colega nosso que há dez anos carrega um maligno numa boa."

"Conheço um outro", disse o terceiro médico da sala, "que já tem uma sobrevida de 25 anos."

Balli desceu comigo até a porta do hospital, acho que só para poder acrescentar: "A conversa lá de cima não foi pra te agradar. Isso aí não é realmente grave, ainda mais em quem teve um pai que morreu com 97 anos. A Mary me preocupa mais do que você", disse, minimizando o que eu tinha.

Do que ouvira no terceiro andar, só uma palavra me acompanhou na volta para casa: "sobrevida". Com ela saí do hospital, caminhei até a Praça General Osório e peguei a Prudente de Morais em vez da Visconde de Pirajá.

Naquele dia não queria olhar as vitrines.

Andando, sentia como nunca o peso de um prefixo. Quer dizer que agora eu iria ter direito não à vida, mas a uma sobrevida, era isso? Já ouvira a palavra várias vezes aplicada a pessoas amigas, a parentes, mas para meu uso era tão inadequada quanto uma cabeleira. Não me caía bem. Tive vontade de voltar e dizer ao Balli que preferia trocar: não queria ser um *sobrevivente*, ainda que fosse para "carregar um maligno numa boa".

Curiosamente, o que mais me preocupava naquela caminhada era como comunicar aquele infortúnio à minha família: a meus filhos, minhas irmãs, irmão, sobrinhos. A comoção que a notícia iria provocar em casa e na praça me incomodava mais naquele momento do que a doença. Ia andando e imaginando as reações, a repercussão, o choque, a solidariedade, as caras de compaixão e piedade, as explicações. Não, não ia dizer nada, por enquanto.

Imaginava que as primeiras 24 horas de uma má notícia devem ser as piores. Por isso, precisava de um tempo para absorvê-la, processá-la e transmiti-la à minha família antes de torná-la pública, se é que a tornaria. Afinal, não é por acaso que etimologicamente a palavra câncer vem de caranguejo, que quer dizer o que se esconde – a exemplo da inveja.

Quando me perguntassem pelo resultado, eu protelaria: "Nada de grave, mas vou ter que tomar um certo cuidado, fazer exames de três em três meses." Cheguei em casa, consultei Mary, ela concordou. Senti um grande alívio.

Já sabia que, se oficializado o câncer, eu teria que fazer uma nova cistoscopia dentro de três meses. Assim, quando estivesse chegando fevereiro, eu prepararia o pessoal dizendo que surgira a possibilidade de que aqueles pólipos tivessem "alguma malignidade" etc., etc. Depois, diria que a perspectiva era mesmo pessimista. Finalmente, após o novo exame, abriria o jogo.

Só por isso o telefonema do Higa àquela noite, me interrompendo a leitura, não produziu tanto impacto. Não era na verdade uma revelação, mas uma confirmação. E a única novidade afinal não era má, a de que se tratava de um "maligno brando".

"Um maligno brando, que bom!", tentei fazer ironia.

"Não, isso quer dizer que há uma gradação", corrigiu Higa, dando a entender que não era apenas um jogo de palavras de mau gosto.

"O câncer é como a inveja, não tem bom", eu disse, ou pensei dizer, não tenho certeza, influenciado que estava pela discussão: havia ou não havia uma inveja boa? Alguns autores admitiam que sim, mas a maioria respondia que não. Naquele momento me ocorreu a analogia: como o câncer, a inveja também tem graus. Pode-se dizer que ela está no começo, que é branda e que ainda pode ser curada. Mas não será nunca boa. Se for boa é outra coisa, é admiração ou até cobiça, mas não inveja. Como no câncer: se for benigno, é tumor, pólipo. Câncer maligno é pleonasmo.

"Os próximos três meses é que vão definir o quadro", informou Higa, interrompendo minha masturbação filosófica.

Como não havia nada a fazer, a não ser esperar, perguntei ao médico se poderia voltar a andar na praia, um de meus gozos diários que tinha sido suspenso desde o dia 1º de novembro.

Ele disse que sim, mas eu estava com outro desejo: queria ler o laudo da biópsia.

"Você sabe como jornalista é curioso", justifiquei o pedido.

No dia seguinte, andei até o Arpoador e, na volta, entrei pela rua Jangadeiros, dobrei à direita no final e cheguei à portaria do hospital onde ele deixaria a minha "encomenda". Era um envelope retangular, desses de carta, e estava fechado com dois grampos.

Peguei e resolvi retornar à praia com ele fechado na mão. Mas não pelo mesmo trajeto. Em vez de seguir a Jangadeiros, cruzei a

Praça General Osório na diagonal em direção à Teixeira de Melo, que me jogaria de novo no calçadão de Ipanema. Mas minha curiosidade acabou me sentando num banco da praça.

Já estava retirando o primeiro grampo com a unha, quando percebi que não podia fazer aquilo ali; o lugar era inadequado. Em parte porque, quando vi, estava sentado em frente ao prédio onde morava minha filha. E depois porque aquela praça sempre foi um espaço de alegria. Dali havia saído pela primeira vez a lendária Banda de Ipanema de Albino Pinheiro e Jaguar, então vizinho de minha filha. Eles jamais me perdoariam. "Podia ter escolhido outro lugar" – Jaguar não perderia a piada.

Decidi então que abriria o envelope quando chegasse em casa. Afinal, ele não conteria nenhuma novidade. O fundamental do laudo, o Higa já tinha me antecipado. Quando fui me aproximando do Posto 9, na direção do Leblon, minha mão coçava.

É engraçado como a gente desenvolve certos mecanismos de defesa ou evasão que só em determinadas circunstâncias se revelam em suas astúcias e sutilezas. Eu não tinha mais dúvida em relação ao que aquele envelope continha. Mas eu queria ler. Não era à toa que exercia uma profissão para a qual, ao lado de uma outra, a dos bicheiros, só vale o que está escrito.

Sentia necessidade de ler, e foi assim que me sentei no degrau do Posto 9 que dá para a areia, meio escondido, me precavendo para não ser interrompido por nenhum passante conhecido. Retirei os grampos, abri o envelope e, quando comecei a ler, ouvi uma voz, quase um grito: "Aí, hein, lendo carta de namorada escondido!".

Era dessas pessoas que adoram brincadeiras assim. Pelo susto que levei, deve ter achado que sua suspeita se confirmava: era mesmo uma carta de namorada. "Vi sua careca e resolvi dar o flagra!"

A cara que fiz empurrou-a para a corrida, e eu pude voltar ao meu texto – feio, hermético, desagradável, mas nenhum outro na vida jamais me despertou tanto interesse e prendeu tanto minha atenção. Havia um cabeçalho, com meu nome, número do registro, nome do médico que havia solicitado o exame, natureza ("histopatológico") e o material: "fragmento de bexiga".

Depois, um entretítulo em caixa alta, como se diz em jornalismo: "MACROSCOPIA". Embaixo, duas linhas. A primeira: "Um fragmento irregular de tecido de coloração amarelo-pálida, medindo 0,9 cm no maior eixo."

Na segunda linha estava escrito: "Aos cortes superfície maciça, de consistência firme e elástica."

Em seguida, o outro entretítulo: "MICROSCOPIA" e mais três linhas, assim dispostas:

"Carcinoma vesical papilífero de células transicionais, superficial, graus I e II de Ash.

Edema e congestão do córion subepitelial.

Não observamos comprometimento para camadas musculares no material examinado."

Entendi o suficiente para ficar esperançoso, mas Mary precisava ver. Ela confirmou a boa nova. "É superficial, não há comprometimento", resumiu.

Pelo menos aqueles moradores clandestinos de meu espaço vesical não tinham conseguido furar as paredes para chegar às áreas vizinhas.

Hesitação

Uma grande euforia envolvia a cidade naquele momento, em novembro de 96. O Rio achava que iria sediar as Olimpíadas de 2004, ou que pelo menos ficaria entre as cinco cidades finalistas. Pois se até o presidente da Fifa, o brasileiro João Havelange, garantia que tinha assegurado os votos indispensáveis. No jantar que o Itamarati ofereceu aos representantes do Comitê Olímpico Internacional sentei-me junto com Dorrit na mesa Carnaúba (cada uma tinha o nome de uma árvore). Nos divertimos muito com o astral da noite, à qual comparecera *le tout Rio.* A atração do banquete, muito comentada pela corte, foi a cena do presidente se servindo e atravessando o salão com seu prato de comida na mão. Era uma proeza: ele não só comia, pareciam dizer os cortesãos, como sabia também se servir – sozinho!

Ali não dava para conversar direito, e eu então convidei minha amiga para um almoço na segunda-feira. Escolhemos o Ouro Verde, um restaurante de Copacabana que outrora fora excelente, mas que andava meio decadente, o que oferecia a vantagem de provavelmente estar vazio para uma conversa como a que eu queria ter com ela.

De fato, havia só duas ou três mesas ocupadas, o que nos permitia conversar à vontade numa outra de canto, sem precisar falar mais alto do que a algazarra que em geral são os restaurantes cariocas.

A imagem do mar atravessava a janela envidraçada e chegava até nós. O dia estava esplendoroso e os gringos que nos visitavam andavam babando de deslumbramento. O carioca ingenuamente supunha que isso era suficiente para determinar a decisão do COI.

Dorrit pediu um peixe grelhado e eu, uma costeleta de porco com tutu e couve. Ela estava no Rio fazendo um perfil de Ronaldinho para a revista *Veja*. Naquele dia, ia entrevistar a mãe do então craque do Barcelona, cuja ficha escolar, num colégio de Bento Ribeiro, na Zona Norte do Rio, ela tinha conseguido ver. Por coincidência, tempos depois eu iria àquele mesmo colégio fazer uma pesquisa para meu livro.

No momento, porém, minha preocupação era outra. Não pude deixar de falar de inveja porque afinal Dorrit era a responsável pela minha opção. Lembrei que a última vez em que havíamos conversado sobre o tema, o resultado fora um livro. Falei do último texto que acabara de ler e, logo que pude, mudei de assunto.

Ela era uma das poucas pessoas com quem eu queria conversar sobre o meu câncer. Já quase no final do almoço, quando o tema do livro voltou à mesa, aproveitei-o.

Contida e minimalista na profissão e na vida, minha amiga detesta retórica e dramatização. Ouviu minha história sem fazer cara de surpresa, relatou sua experiência no que ela podia me ser útil e decidiu que eu deveria ir a São Paulo me consultar com um oncologista de sua confiança.

Logo que percebeu minha hesitação, argumentou: "Vamos admitir que você esteja se tratando com o melhor urologista do mundo. Mas se você tem um câncer e não apenas um problema urológico, é natural, é indispensável que procure um oncologista."

O argumento, irrefutável, era reforçado pelo nome indicado: Sérgio Simon, médico de ponta da oncologia no Brasil e respeitado também nos Estados Unidos.

Não disse que não, mas também não prometi aceitar a sugestão.

Dois dias depois, recebi um telefonema seu. "Conversei com o Dr. Sérgio Simon e ele pediu para você mandar o resultado da biópsia. Ele quer dar uma olhada antes de marcar uma consulta para você."

Sabia que minha amiga tinha razão, mas temia a possibilidade de ter que começar tudo de novo, quem sabe até mudar de tratamento. E se o tal oncologista cismasse que a orientação estava errada?

Decidi que ia enrolar o quanto pudesse, ele ia ter que esperar muito. Isso no caso de resolver mandar o material.

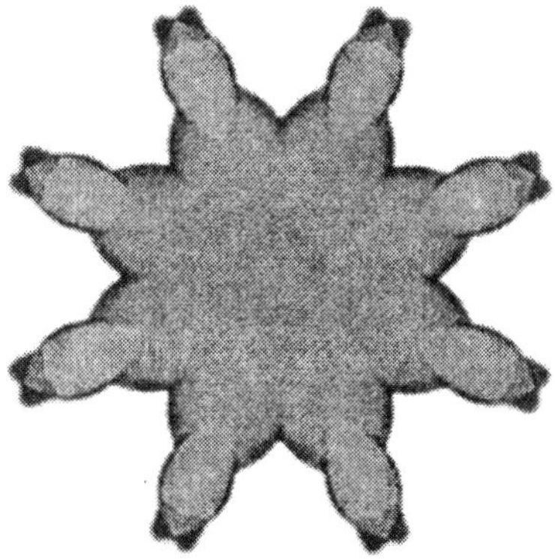

Recidiva

Pensando em Zé Noronha – "Tá reclamando de quê?" – não posso me queixar do verão de 96. Aproveitei-o intensamente, até porque trabalhei muito pouco. Em três meses não escrevi uma linha sobre a inveja. Para falar a verdade, não queria saber dela. Quando escrevia, e escrevi muito, foi sobre o que sentia naquele momento. O material dava para encher um outro livro, se prestasse. Ainda bem que deletei quase tudo. Fiquei convencido de que câncer faz mal à saúde e à literatura. Darcy Ribeiro, que carregava um de 20 anos, dizia que câncer dá prestígio. Pode ser, mas não dá inspiração. Me lembrei disso uma noite em Teresópolis, onde às vezes passávamos os fins de semana na casa que era dos pais de Mary. Estava no escritório tomando conhaque e ouvindo uma fita de Pavarotti. Uma doce melancolia vagava naquele silêncio de madrugada. De repente, ele começou a cantar *Una furtiva lagrima.*

Tenho dificuldade orgânica de chorar, chorar mesmo, de esguicho, como dizia Nelson Rodrigues. Nessa noite chorei – não digo que de esguicho, mas de conta-gotas. O que me salvou – a mim e à literatura – foi o riso provocado pela lembrança de que eu já tinha visto aquele filme, literalmente. A cena era uma paródia *kitsch* de *Filadélfia*, da seqüência em que o personagem principal ouve uma bela ária da ópera *A sonâmbula*, de Bellini, cantada por Maria Callas.

O Dedo de Deus lá em cima, a trilha sonora atrás e eu ali com pena de mim – seria de fato um quadro feito com asas de borboleta, se o drama não tivesse virado comédia. A retórica do câncer é tão contagiosa que acaba condicionando as reações. A gente procura se comportar de acordo com o que tantas vezes leu, ouviu ou viu sobre a doença. Todo cuidado é pouco.

(Não consigo me conter e vou antecipar um episódio que ocorreu meses depois. Estávamos em Nova Iorque comemorando o fim das aplicações de vacina BCG na bexiga, quando Gerald Thomas resolveu nos levar para conhecer o museu de Marcel Duchamp, justamente em Filadélfia. Alugou uma Van, lembrou-se de seus tempos de motorista da Cruz Vermelha, pegou o volante e nos conduziu até lá: ele e Gilda, Costanza Pascolato e Nelsinho Motta, Mary e eu. Uma expedição memorável, pelo que vimos e pela companhia. Quando deixamos o museu já eram quase seis horas e tivemos que percorrer o centro da cidade em busca de um restaurante para almoçar. Estávamos todos famintos. Olhava as ruas, as luzes e tinha a sensação de que fazíamos o mesmo percurso do personagem do filme. Finalmente encontramos um restaurante, pedimos um vinho e fizemos um brinde a Costanza e Nelsinho, que completavam dois anos de namoro. Em seguida, fiz o meu. Olhei para Mary sentada em frente e disse baixinho: "À minha bexiga." Ia repetir em voz alta, mas daria tanto trabalho explicar aquela saudação que desisti. Além disso, havia o risco de Gerald desmaiar. Por causa de uma simples operação de hérnia, ele caíra duro do outro lado do telefone. Uns meses antes, eu estava lhe contando a cirurgia, quando de repente

se fez silêncio. Gilda pegou o aparelho e informou: "Ele desmaiou." Portanto, não valia a pena arriscar. Me calei e estendemos o brinde ao fim próximo do livro da inveja.)

Março chegou trazendo duas boas razões para eu fazer minha segunda cistoscopia. Uma é que já se haviam passado três meses da primeira, talvez um pouco mais até; a outra é que em abril eu iria à Europa para lançar meu livro *Cidade partida* na Itália. Precisava estar em forma.

No dia 2, Mary e eu nos reunimos com José Noronha aqui em casa e decidimos que eu faria essa operação com o Dr. Paulo Rodrigues, que ele conhecia desde os tempos de estudante. Seria decisiva porque diria se o câncer estacionara ou evoluíra.

Mais tarde, almoçamos na casa de Tônia Carrero, à beira da piscina. Éramos umas oito pessoas e de vez em quando aparecia um neto ou bisneto da atriz, dando ao encontro, já composto de representantes de várias faixas etárias, um divertido toque pluri-geracional.

Eu estava sentado ao lado de Roberto D'Ávila, quando Ana Lontra Jobim chegou com o prato na mão e se sentou ao nosso lado. Logo começamos a falar de Tom Jobim, cuja morte ia completar dois anos em breve. Ana ainda parecia inconformada com o desaparecimento meio acidental do marido, deixando a sensação de que aquele desfecho poderia ter sido evitado.

Ela se lembrou do pressentimento de Tom dizendo para o médico no quarto do hospital:

"O problema, doutor, é que a gente vem tratar de uma coisa e acaba morrendo de outra."

"O que, por exemplo?"

"De infecção hospitalar, por exemplo", respondeu Tom.

O médico achou graça e disse em inglês:

"*It's possible*, Tom. Mas pode ficar tranqüilo que você não vai morrer não."

A viúva de Tom contou o que já se sabia, mas eu não me lembrava mais. Por um instante achei que aquela coincidência não era nada promissora. O compositor tivera um câncer na bexiga de grau III, foi operado e logo em seguida morreu de um acidente coronário.

Para atenuar essa lembrança num momento tão alegre, me ocorreu que ele devia estar em algum lugar me gozando com uma daquelas suas brincadeiras: "Sou mais graduado, sou grau III; não fica com inveja não."

Quando fui procurar o Dr. Paulo para marcar a nova operação, ele me examinou e me tranqüilizou com uma frase que passei a usar: "Você vai morrer com isso, mas não disso." Achou até que não seria o caso de realizar a cistoscopia logo; talvez pudéssemos esperar um ou dois meses. "Vai lá e lança o seu livro primeiro."

Me alegrei, mas por pouco tempo.

Enquanto conversávamos, ele me passou um vidro de boca larga e pediu que eu urinasse ali dentro. Depois, pegou pela ponta uma regüinha de papel com uma escala de vários tons de vermelho e mergulhou no recipiente, como se fosse um termômetro; era para medir a composição da urina.

A conversa não parou. Ele era médico de alguns amigos comuns, inclusive do próprio Tom, e ainda estava abalado com a morte de um deles muito querido, o romancista Antonio Callado.

"Que figura admirável!", comentou, enquanto tirava o medidor do vidro. Era um exame de reação o que ele fazia. Interrompeu os elogios a Callado e informou, olhando para a escala de cores:

"É, você ainda está com sangue na urina."

Não precisei perguntar, nem ele precisou dizer que era a famosa *recidiva* – o câncer voltara. O azar teimava em me incluir na faixa daquela minoria de 30% que tem direito a repeteco.

O resultado não pareceu abalar a serenidade do Dr. Paulo, mas fez com que ele mudasse de idéia.

"Nesse caso, é melhor fazermos a cistoscopia logo. Assim, você viaja tranqüilo."

Depois de estudarmos algumas datas, nos decidimos em princípio pelo dia 17 de março de 97, uma segunda-feira.

Até esse exame de urina, eu alimentava a esperança de que na segunda cirurgia os médicos iriam encontrar minha bexiga limpa. Agora sabia que isso não ia mais acontecer – era evidente que o sangue encontrado não poderia ter outra origem senão a de novos pólipos, para usar o eufemismo do princípio. Decidi então abrir o jogo com Mauro e Elisa. Só com eles. Para os outros, eu contaria de uma só vez, mas ainda não sabia quando.

A reação foi melhor do que eu esperava. Eles receberam a notícia sem dramatismo. Fizeram perguntas, quiseram saber a gravidade do caso e, pelo menos aparentemente, absorveram bem a notícia.

Achamos sempre que os filhos são mais frágeis do que a gente e nos surpreendemos quando descobrimos que é justamente o contrário. Às vezes, eles são para nós a prova de existência da boa inveja, isto é, da admiração.

Não invasivo

"Senhora Zuenir Ventura!", disse em voz alta a enfermeira e, quando me apresentei, toda a sala de espera riu. Eu sabia que ia acontecer isso, que a bruaca ia trocar o meu sexo. Para evitar o vexame, tinha corrido para junto dela, assim que apareceu com aqueles papéis na mão. Era para avisar com minha presença que quem estava ali era um homem. Não adiantou. Além de não me dar atenção, ainda repetiu: "Senhora...". "A Senhora sou eu, pô", reagi com essa frase ridícula, provocando mais risos ainda. Isso azedou o meu humor. "Parece surda, pô, tou avisando e você não ouve!", resmunguei. Ela não se abalou. "Como é que eu ia saber, senhor", e me virou as costas. Além de tudo, tinha essa mania de filme de tevê traduzido, cada vez mais difundida entre secretárias, telefonistas e enfermeiras *cults* – um americanismo detestável: "É a sua vez, senhor", "O que deseja, senhor?", "Obrigada, senhor". No meu tempo, ninguém falava assim, a não ser para se dirigir ao Senhor supremo.

Tendo que fazer muitos exames médicos ultimamente, o engano se tornara comum nas salas de espera dos laboratórios. Era infalível. As atendentes liam o nome, achavam que se tratava de uma mulher e disparavam: "Senhora Zuenir...". As pessoas sentadas junto às paredes e eu no meio me sentindo num teatro de arena. Estava traumatizado.

Foi por isso que fiquei lisonjeado quando a simpática recepcionista da Casa de Saúde São José acertou meu nome e meu sexo. Por via das dúvidas, eu já estava perto do guichê pronto para dizer "a senhora sou eu, pô", quando ela me surpreendeu: "Muito prazer em conhecê-lo pessoalmente. Já li os seus livros e leio suas crônicas no *JB*", ela declarou, lavando minha alma e ainda por cima me presenteando com um doce sorriso. Aquilo sim era uma maneira delicada de tratar alguém.

Além da vaidade em ser reconhecido, era um bom sinal. Podia ser superstição, mas achei que não. Eu não seria recebido daquele jeito carinhoso se fosse para ser maltratado na mesa de cirurgia.

Fiquei repetindo "muito obrigado, muito obrigado", enquanto ela preenchia minha ficha.

"Qual a razão de sua internação?", ela perguntou depois de obter os dados de praxe: idade, estado civil, endereço etc.

"Uma RTU de bexiga", respondi, fazendo questão de exibir meu conhecimento de terminologia médica. Com o olhar ela exprimiu surpresa e um certo ar de pena, que eu dispensei.

Estávamos adiantados. Dr. Paulo mandou que chegássemos às 6h30 e eram 6 horas da manhã do dia 17. Mesmo assim, Mary e eu subimos para o apartamento que o cirurgião reservara por dois dias. Podia ser precaução, mas também sinal de que ele não pretendia que eu saísse no dia seguinte, como da minha primeira operação.

Com minha bolsa na mão, repetindo um ritual de três meses atrás, não pude deixar de pensar que aquilo poderia se transformar numa incômoda rotina. Se como previam os médicos seria indispensável um acompanhamento periódico, eu deveria desembarcar ali com minha bolsa na mão de três em três meses no começo e de seis em seis depois.

Dessa vez, não quis ir dopado para a sala de cirurgia e o resultado foi que não só senti a aplicação da anestesia peridural, como acompanhei todos aqueles preparativos, pelo menos até o momento em que me rendi e pedi para ser apagado. Contribuiu também para essa decisão o fato de que não me saía da cabeça a conversa com Aninha Jobim. Eu tinha consciência de que Tom morrera de um acidente coronário, não de câncer. Mas vai buscar lógica na cabeça de quem está deitado numa mesa de operação!

Fiquei um dia a mais na Casa de Saúde São José, como previsto, mas o pós-operatório transcorreu sem maiores incidentes, a não ser uns dois ou três espasmos fortes que me fizeram subir a parede de desconforto e dor.

No dia 19 de manhã voltei para casa e fiquei esperando a biópsia, que não deveria apresentar, como não apresentou, nenhum imprevisto.

A descrição do resultado era detalhada e incompreensível para um leigo. Vale a pena transcrevê-la pelo humor involuntário. De tão hermética, era hilária. Se eu não tivesse nenhum problema na bexiga, passaria a ter depois da leitura da "microscopia".

Eis o texto: "Proliferação atípica de células de núcleos despolarizados, irregulares na forma, tamanho e afinidade tintorial dispostas em torno de hastes conjuntivas vascularizadas. Em outros pontos, a mucosa é plana e apresenta alterações nucleares semelhantes às da lesão papilar. Na lâmina própria, edema, infiltrado linfoplasmocitário multifocal, capilares congestos e, em um fragmento, grupamentos de gigantócitos tipo corpo estranho contendo vesículas com material amorfo no lúmen. Feixes musculares lisos profundos sem particularidades."

Ainda bem que havia o diagnóstico, e esse ocupava menos de uma linha, era razoavelmente claro e bastante favorável: "Carcinoma urotelial papilífero grau II, não invasivo da bexiga."

Estas últimas palavras pareciam não deixar dúvidas. Mas a tranqüilidade completa teria que vir de São Paulo.

L'envie en rose

Às vésperas de viajar de férias para Paris, eu tinha esquecido temporariamente o livro e só me preocupava com uma coisa: o que Sérgio Simon iria dizer da minha biópsia. Dorrit, ela mesma, se encarregou de levar para São Paulo as lâminas com as amostras de minha estimada bexiga, embaladas como se fossem para presente. Além disso, conseguiu me convencer a pegar um avião e ir me consultar com o seu amigo. A chegada ao Albert Einstein foi tensa. Por mais que o hospital disfarçasse a sua condição, procurando lembrar um confortável hotel, havia sempre a palavra "oncologia" em algum lugar para não deixar dúvida. As pessoas sentadas na ampla sala de espera também não davam margem a confusão: não tinham cara de hóspedes, mas de pacientes.

Quando me olharam, achei que havia qualquer coisa de "bem-vindo ao clube" em seus olhares.

Devo confessar que até aqueles dias não sabia o que significava oncologia, e acreditava que a palavra começasse com *u*, talvez por achar que no espaço de nove letras era um exagero gastar um terço só com *o*. Aliás, dispensaria toda essa aquisição de saber inútil, se adiantasse alguma coisa.

Minha amiga advertira que o seu médico não fazia concessão à demagogia. Que eu não esperasse afagos, tapinhas nas costas, falsas esperanças.

Dorrit não confessou nunca, mas deve ter temido pelo que promovera: o encontro de dois temperamentos opostos que de alguma maneira tinham que se entender – um chegado aos "tapinhas" e ao "meu querido" e o outro mais comedido. Era de se prever alguma dificuldade.

Senti o estilo objetivo do jovem médico na primeira frase, quando comecei dizendo: "Vou resumir o meu caso para o senhor." Delicado, mas firme, ele interrompeu: "Você não precisa resumir, eu não estou com pressa."

Não me agradou o corte abrupto e pensei que, se ele gostava tanto de distanciamento, deveria ter preferido a psicanálise. Mas não disse nada e continuei meu relato, que por aquele começo não deve ter sido muito brilhante.

Diante de mim, com as pernas esticadas, meio de lado, todo ouvidos, estava aquele jovem que deveria ter o quê? uns 40 e poucos anos – e ali dominando a cena. Que nota ele me daria por aquele exame oral? O pior é que a supremacia vinha não de seu saber científico, mas de sua personalidade. Se estava ganhando a parada só ouvindo, imagina quando abrisse a boca. A situação me desagradou e me desafiou.

Foi, como os locutores diziam antigamente, um encontro renhido e disputado, e que terminou empatado. No primeiro tempo, o adversário impôs o seu jogo com nítida vantagem. Mas no segundo eu já o estava chamando de "você". Só não me despedi dando-lhe tapinhas nas costas para não desmoralizar as advertências de minha amiga.

Um mês depois, eu terminava assim uma carta a ele: "Quero agradecer-lhe muito. Conhecia sua fama, já tinha ouvido coisas como 'igual a esse não tem nem lá fora', sabia enfim que era o máximo. Só não sabia que, além de tudo, você era uma pessoa tão atenciosa. Foi muito bom conhecê-lo. Espero que a gente se encontre em breve – e não só profissionalmente."

No dia 8 de abril de 97, eu já com passagem marcada, Dorrit ligou para dar a notícia de que Sérgio ficara satisfeito com minha biópsia. "Liga pra ele."

Liguei e, quando ele começou dizendo "Em resumo...", tive vontade de interrompê-lo para informar que agora eu é que não estava com pressa. Mas ficou só na vontade. "O tumor voltou, mas é superficial, não é invasivo, e isso é uma boa notícia", ele anunciou na sua maneira seca de falar.

Pensei que o melhor é que não tivesse voltado, mas continuei ouvindo. Ele repetiu que os "prognósticos eram bons" e que concordava com o procedimento recomendado pelos médicos do Rio. "Com o BCG há muita chance de o tumor não voltar."

Exagerei minha surpresa e meu contentamento, chamei-o de "meu querido", mas ele continuou pouco caloroso. A única concessão que fez foi advertir que eu não podia ser "apanhado de calça curta", uma expressão que não devia sair com muita freqüência de sua boca. "Você vai ter que tomar cuidado, vai ter que fazer cistoscopia regularmente. Não se esqueça de que tem uma bexiga de risco."

Durante um mês na França, uma parte em Paris, a outra na Borgonha e no Vale do Loire, me esqueci do que vinha ocupando minha vida ultimamente: aquela bexiga de risco e a pesquisa sobre a inveja. Da primeira, o vinho, o queijo e os demais prazeres da mesa francesa não me fizeram lembrar; e da segunda foi preciso um livro para me devolver o tema à memória e o interesse por ele.

Quem o descobriu foi José Carlos Barboza, com quem fizéramos a viagem ao interior de carro. Ele já estava colaborando no livro há muito tempo. Meses antes, empreendera para mim uma investigação completa na Internet. O resultado era inestimável e desanimador. Só na Biblioteca do Congresso americano, ele encontrou 123 títulos específicos sobre a inveja. Tudo o que o saber acadêmico poderia produzir sobre o tema já tinha sido produzido. Todos os livros já estavam escritos. A pesquisa impressa, com os resumos e sinopses, constituía quase um livro. Pensei em desistir do meu quando recebi este material.

Encontrar a nova descoberta de Zé Carlos, depois de um bate-pernas por dezenas de livrarias do Quartier Latin, foi uma aventura. Só consegui comprá-lo quase na hora de vir embora.

A primeira pista surgiu na exposição "Dez séculos de arte khmer", no Grand Palais de Paris. Eu estava com a atenção voltada para aquelas impressionantes divindades esculpidas entre os séculos VI e XVI, quando de repente ouvi uma voz falando baixinho, como se fosse um segredo: "Descobri mais 24 títulos sobre a inveja na França." No meio daquele clima de Camboja, custei a entender o que meu amigo dizia.

Nem vi direito mais a exposição. Saímos dali direto para a livraria de Saint-Germain onde Zé Carlos fizera a pesquisa. De novo diante do computador, ele ia acessando os títulos e eu anotando no caderninho. Havia muitos livros, mas como em francês *envie* não significa apenas inveja, mas também desejo, só alguns iriam me interessar.

Nos fixamos em dois: *Péché d'envie*, de Josephine Hart, e *L'envie, une histoire du mal*, de Helmut Schoeck, um traduzido do inglês e o outro, do alemão. Nunca ouvira falar dos autores. O primeiro, lançado na França em 1993, era um romance e o outro, de 95, prometia ser talvez a mais exaustiva pesquisa sobre o tema em 532 páginas e ao preço de 210 francos.

O problema é que ali não havia nenhum dos dois títulos, e a loja já estava fechando. Tive que esperar o dia seguinte para percorrer uma dezena de livrarias do Quartier Latin, até que um vendedor simpático me garantiu que na Praça da Sorbonne eu os encontraria em uma das duas livrarias ali existentes: a PUF (Presse Universitaire de France) e uma outra de obras filosóficas e afins.

Naquela altura, eu já tinha desistido do romance de Josephine e me contentava apenas com o volume de Schoeck. Estava chovendo muito e eu teria que subir a pé quase todo o Boulevard Saint Michel. Mesmo assim subi, sabendo que ia chegar encharcado, porque um vento forte ameaçava toda hora me arrancar o guarda-chuva das mãos.

A chuva tinha apertado quando cheguei à PUF, e eu me preocupei em deixar minha proteção na porta para evitar outra manifestação da proverbial cordialidade francesa. Pouco antes eu levara uma colossal bronca de um gerente por ter molhado a sua loja. Sacudi a roupa do lado de fora, entrei e me dirigi ao primeiro andar. Apesar dos cuidados, respinguei um pouco a escada, mas felizmente ninguém percebeu.

Não foram precisos mais que alguns segundos. "Tenho sim, deve ser o último exemplar", disse a vendedora olhando para minha roupa com cara de "como-é-que-deixaram-o-senhor-entrar-assim?".

Talvez porque quisesse me despachar, virou-se tão logo ouviu o nome do livro e foi direto à estante pegá-lo, como se o exemplar estivesse ali à minha espera. Voltou com as mãos vazias e sem graça: "*Je suis desolée.*" Alguém comprara antes, ela não sabia.

Atravessei a praça e me dirigi à outra livraria, que ficava logo acima, a tal das publicações filosóficas. Não consegui o livro, mas obtive o endereço da Belles Lettres, que o havia lançado em francês. Ficava no 95 do Boulevard Raspail, bem perto do apartamento de uma amiga, onde estávamos hospedados.

No dia seguinte, às dez horas, entrei na livraria que a editora mantém na própria sede. Não havia nenhum freguês e o vendedor parecia não querer interromper uma animada conversa ao telefone. Postei-me impertinente à sua frente e ele, cheio de má vontade, pediu "um momento" a seu interlocutor e colocou o aparelho sobre a mesa, avisando com o gesto que não pretendia demorar me atendendo. Anunciei o nome do livro, ele não disse nada, fez suspense, foi até a estante que ficava atrás e pegou o que deveria ser o único exemplar. Eu tinha os 210 francos trocados e a operação não durou nem um minuto – um minuto e todo o dia anterior.

O simples folhear do livro, um catatau, produziu em mim dois efeitos contraditórios. O primeiro foi a vontade, que andava completamente adormecida, de retomar o meu projeto. O segundo, um impulso de desmobilização. Por que escrever sobre a inveja, se agora havia mais essa obra tão completa? Pensei em sugerir a meu editor que desistisse; em vez de publicar o meu, que traduzisse aquele.

Não sugeri, e acabei voltando das férias com disposição redobrada – não cheguei nem a viajar à Itália, como pretendia. Paris foi mais forte.

Sabia que não ia me livrar facilmente nem do câncer nem da inveja, e nem por isso estava menos animado. Tanto que resolvi atacar o primeiro com BCG e a segunda com trabalho. Me apresentei a meu médico e a meu editor dizendo mais ou menos a mesma coisa: "Estou pronto."

O Dr. Paulo pôs ao meu dispor o jovem Dr. Ricardo Greca, que já o auxiliara na minha segunda cistoscopia. Roberto Feith colocou a jovem colega Daniele Ribeiro para me ajudar numa pesquisa que imaginei realizar junto a padres, psicanalistas e pais e mães-de-santo.

Fiz as duas coisas paralelamente: as aplicações de BCG e dos questionários, percebendo agora, ao escrever, como o mesmo verbo "aplicar" pode ter significados tão diferentes. Como é que se pode introduzir vacina na bexiga com o mesmo verbo com que se questiona um padre?

Dr. Ricardo ia bombardear semanalmente a minha bexiga com a vacina. Tentaria assim aumentar minhas defesas e reforçar o meu sistema imunológico contra as células cancerosas. Era preciso atacá-las e confiná-las entre as paredes vesicais. Nunca havia pensado nessa metáfora bélica: lá embaixo, dentro de mim, estava se travando uma batalha de vida ou morte.

Se os agentes da destruição invadissem o território vizinho, seria o começo do fim. Dificilmente o avanço poderia ser detido.

Claro que eu pensava na morte, mas o que mais me perturbava era a perspectiva do sofrimento, a idéia de dor, de deterioração física, de decadência. O que dói não é a morte, mas o padecimento. Fantasmas de rompimento povoavam meus pesadelos. Eram analogias, formas sublimadas, mas também imagens literais, óbvias, pouco elaboradas: explosões cósmicas, bolas estourando no ar, diques se rompendo.

Toda quarta-feira no fim da tarde eu comparecia ao consultório para que ele injetasse 80mg de vacina diretamente na minha bexiga via uretra. Fiz isso durante seis semanas seguidas e, depois, uma vez por mês: em julho, agosto e setembro.

Não era um programa que eu recomendasse a um amigo, mas também não chegava a ser o sofrimento que a descrição pode sugerir. Não era maior do que, por exemplo, ir a um dentista obturar um dente, embora incomodasse mais.

No começo fiquei grilado. BCG era vacina contra a tuberculose, uma palavra que me incomodava. Criado em Friburgo na época em que era uma cidade de cura da doença, carregava ainda lá no fundo os estigmas e os preconceitos de um mal secreto que, como o câncer, só se apresentava envolto em eufemismos e subterfúgios. Não se dizia "fulano está tuberculoso", e sim "fulano está fraco". O Hospital de Tuberculosos que a Marinha mantinha lá era conhecido como "Hagá Tê".

Mas a outra alternativa era a nada invejável quimioterapia. Me lembrei de Zé Noronha dizendo: "Tá reclamando de quê?".

Anna O.

Na clínica do Dr. Paulo Rodrigues cuidava-se de algumas das bexigas mais ilustradas da cidade – de escritores, professores, artistas – e por isso o Dr. Ricardo gostava de deixar esses pacientes para o final, para poder curtir uma boa conversa e, quem sabe, amenizar uma tarefa que devia ser tediosa. Batemos longos papos durante o tratamento, ainda que a posição não fosse a mais adequada – eu nu e de barriga para cima e ele, bem, ele exercendo com zelo o seu ofício. "Nunca vi ninguém sair tão alegre aí de dentro", estranhou a recepcionista uma vez e eu me esqueci de lhe dizer que o alívio costuma ter a cara alegre. Na verdade era desconfortável, mas não doloroso; seria pior se eu resolvesse dar importância ao ritual. Conversar ainda era o melhor remédio durante as aplicações: me obrigava a pensar em outra coisa, me distraía.

Só uma vez, lá pela sexta sessão, tive um grande mal-estar, mas não no consultório, em casa, num pesadelo. Eu estava começando a receber as respostas aos questionários sobre os quais falarei depois. Pedi aos entrevistados que no final relatassem uma história de inveja que os tivesse impressionado pela gravidade ou pelo insólito.

Passava pelo Rio nesse momento um psicanalista que tinha uma clínica numa cidade do Sul. Num jantar, contei-lhe o que estava fazendo e ele se interessou, dispondo-se a colaborar. No dia seguinte fui ao seu hotel e ouvi dele uma insólita história, para dizer o mínimo. Tratava-se do caso clínico de uma jovem estudante bonita e atraente.

Dos 17 anos, quando perdeu a virgindade, até os 19 anos, Anna O. – chamemos assim a personagem, em homenagem a um caso clássico da psicanálise – teve uma vida sexual muito intensa: fazia sucesso com os rapazes e manteve várias relações, todas heterossexuais.

O seu drama começou quando se apaixonou por uma colega de faculdade, bem mais velha e, segundo ela mesma, feia. Foi uma relação tumultuada, cheia de ciúme. Por isso, demorou alguns meses para se concretizar sexualmente.

"Quando as duas foram para a cama pela primeira vez foi que o problema surgiu", me contou o psicanalista. "Depois foi se agravando, se agravando, até tornar-se uma obsessão, uma inveja paranóica."

E o que Anna O. invejava dessa maneira?

Simplesmente, ela invejava um detalhe anatômico de sua amante: os pequenos lábios vaginais. Isso mesmo. Também o psicanalista, mesmo ele, ficou espantado. Em seus 30 anos de consultório, nunca encontrara um caso assim.

"Você pode imaginar o que custou a ela, numa sociedade como a nossa, jogar sobre o divã um problema como esse?" Segundo ainda o analista, foi um processo terapêutico difícil e doloroso. Primeiro, Anna perdeu o sono. Tinha insônias intermináveis. Depois, passou a não comer e chegou a desenvolver um processo grave de anorexia.

À medida que se agravava a sua obsessão, a relação das duas foi se deteriorando até acabar. O seu estado piorou depois que a outra começou a namorar um rapaz; ao sentimento da inveja se juntou o do ciúme.

"Anna chegou próximo da loucura, atormentada por alucinações e fantasias de mutilação", explicou o médico. "Vivia corroída pela inveja e sonhava com a eliminação de sua ex-amante."

Esteve entre o homicídio e o suicídio. Pensou em matar o seu ex-amor, o amante dela e se matar.

Anna acabou desaparecendo do consultório. Passou meses sem ir lá e sem dar notícias. Finalmente o médico soube que ela se curara. Eu quis então saber de que maneira. Como a psicanálise fora capaz desse milagre?

"Não foi a psicanálise", me respondeu o psicanalista, antes de contar o que de fato ocorrera: Anna O. se curara com uma operação plástica reparadora em seus pequenos lábios vaginais demasiado salientes.

Tempos depois, demonstrando que a inveja às vezes muda de objeto mas não some, Anna voltou ao consultório com outro problema. Uma amiga que arranjara durante esse tempo estava grávida e a gravidez provocava nela um sentimento parecido ao que sentia em relação à outra amiga: uma inveja doentia.

Em sonho, a amiga interrompia a gravidez e perdia o filho, graças a uma infusão abortiva preparada por ela. Não se sabe bem como, mas o sonho acabou acontecendo na vida real. Ou seja: a mãe finalmente perdeu o filho em conseqüência dos remédios que ingeriu sem saber, dados pela amiga. Não havia prova de que tecnicamente isso fosse possível, mas na versão contada ao analista pela paciente ela acreditava que tivesse acontecido assim.

Nessa altura da história é que entro com o meu pesadelo no sonho da moça. Enquanto uma noite sonhava com os delírios da moça invejosa, tive o meu. Por razões que não ficaram muito claras, até porque a lógica dos pesadelos também não é clara, eu estava ameaçado de ser submetido a uma sessão de tortura por um sargento do Exército. Tudo por causa das pesquisas sobre a inveja. O que mais me desesperava é que todo mundo sabia – minha família, meus amigos, o governo. Sabiam e concordavam com o que ia ser feito. Ninguém movia uma palha para impedir e isso só aumentava o meu desespero e solidão.

Eu já estava amarrado e o sargento já segurava o fio elétrico para introduzi-lo na minha uretra, como se fazia nos anos 70, quando apareceu o Dr. Ricardo. Com uma seringa gigantesca na mão, ele entrou na sala e convenceu os torturadores a saírem, pois ele faria o serviço.

Quando na sessão seguinte contei a história ao meu "salvador", ele riu muito. "Ainda bem que no pesadelo você não me colocou desempenhando o papel do sargento, já imaginou!"

Achei que estava por demais obcecado. Não só com o pesadelo, que aliás não foi o único dessa fase, mas também com o caso de Anna O. Queria incorporá-lo ao livro, mas não obtinha mais dados e ele parecia cada vez mais inverossímil. "Essa história está muito mal contada", me jogou uma ducha fria uma amiga a quem relatei o caso. "Você devia apurar direito."

Mas apurar como? Escrevi para o analista e ele se recusou a dar mais detalhes, me advertindo para o perigo de se identificar sua cliente. Se isso acontecesse, ele me processaria.

Restava recorrer a uma ginecologista para, em tese, me explicar como uma invejosa que tinha os lábios etc., etc. Fiquei imaginando a cena:

"Doutora, gostaria de saber se uma jovem com os lábios, digamos, os lábios..."

"Sim, continue, com os lábios..."

Ah, não, preferia desistir. O gosto pela precisão não podia me levar a esse ponto.

Era melhor abandonar essa história e voltar a trabalhar, até porque mais surpresas me aguardavam.

A carona

Voltei ao terreiro de dona Lucinda uns cinco meses após minha rebordosa. Ela não operava mais na Baixada, se mudara para a Pavuna. Depois daquela noite de nosso primeiro encontro frustrado, não mais a procurei, até porque há bastante tempo não via também Rivaldo, o antropólogo que me levara a ela. Um dia liguei perguntando se ele não queria me acompanhar de novo ao terreiro de sua amiga. "Até que enfim", ele exclamou, "pensei que você tivesse desistido do livro." Informei que não e que, em nome da inveja, queria fazer as pazes. Ele gostou da idéia. Sempre se sentiu meio culpado pelo fracasso daquele primeiro encontro. Rivaldo continuava indo lá e em outros terreiros recolhendo material para sua dissertação. Não sei se para me agradar, contou que a mãe-de-santo andara perguntando por mim – por que eu tinha sumido, se eu estava doente.

Combinamos a visita, peguei-o em casa, e no caminho ele prometeu convencê-la a me revelar finalmente a tal história de inveja que ela havia lhe contado por alto. Sugeriu que eu deixasse as negociações por conta dele e, de preferência, que não me metesse. Ia ser preciso ter muita habilidade, toda cautela seria pouca, porque havia "gente graúda" envolvida na história.

Cada vez, Rivaldo acrescentava um pouco mais de molho à *sinopse* original. Agora ele já falava em "suposto envenenamento" e dizia que o sobrevivente – ou mandante? – se transformara num bem-sucedido empresário na Barra da Tijuca. "Que nem Caim e Abel, meu filho", dona Lucinda anunciara para ele com entonação bíblica.

A versão oficial dizia que a mãe-de-santo é que preparara a poção mágica, mas que não tinha nada a ver com a morte. Me cheirava mais a um trabalho de *marketing* do que de feitiço.

Sentados no pequeno quintal que separava a casa do galpão onde se realizavam as cerimônias religiosas, tive a sensação de que a paz enfim baixara sobre nós. Estávamos definitivamente de bem. Nem a mãe-de-santo era tão sinistra como pareceu na primeira vez, nem eu era tão chato e impertinente quanto ela deve ter achado.

Ficamos ali batendo papo uma boa meia hora, sem clientes, sem ninguém para interromper. Expliquei-lhe o que seria o livro, contei que já tinha entrevistado outras mães-de-santo e lá pelas tantas disparei: "É verdade que a senhora prepara uma poção mágica capaz de fazer mal?".

Ela não gostou da pergunta. "Ninguém faz bem ou mal, os *santos* é que faz", respondeu rispidamente, estropiando a concordância.

Por um momento, achei que tinha posto tudo a perder de novo. Rivaldo, sentado ao lado, acalmou-a, dizendo que eu não estava fazendo reportagem de denúncia, aquilo era uma conversa, não um interrogatório. "Já disse à senhora", o antropólogo acrescentou, "que o interesse dele é a inveja, ele não é policial."

Ela relaxou e ia falar alguma coisa quando, olhando por cima de minha cabeça, avistou alguém. Eu estava de frente para ela e para o galpão, e de costas para a cozinha da casa. "Um instantinho", ela pediu, encaminhando-se na direção que seu olhar apontara.

Não demorou muito e ela voltou puxando delicadamente pela mão uma jovem que, ao me levantar, percebi ser quase da minha altura. Era Kátia.

Dona Lucinda não notou minha surpresa e começou a dirigir a cerimônia de apresentação como se estivesse oferecendo um ao outro: "Essa é a Kátia, esse é o escritor." Achei que ia completar com um "façam bom proveito", mas preferiu voltar-se para a moça: "Pode confiar nele." E riu mostrando os dentes, que não estavam escurecidos apesar do uso constante de cachimbos, um dos quais, importado, eu retirara de minha recém-extinta coleção para que Rivaldo a presenteasse.

Dissemos "muito prazer", como se aquela fosse a primeira vez que nos víamos, e a mãe-de-santo se apressou em refrescar a memória da moça: "É sobre *aquela* história, se lembra?".

Kátia disse "ahn", concordando, mas mal olhou para mim. Era evidente que não se lembrava da recomendação de sua protetora. Senão não perguntaria: "O senhor escreve novela, é da televisão?". Achei que era encenação: Rivaldo com certeza já lhe tinha dito o que eu estava fazendo. Mesmo assim resolvi responder: não escrevia novela, fazia reportagem, contava "histórias de verdade".

Kátia não abriu mais a boca, nem quando dona Lucinda se referiu a ela como sua "filha branca". No máximo olhava, às vezes sorria, outras vezes, quando a dona da casa disparava elogios à sua beleza, ela fazia uma cara que podia querer dizer "ela está exagerando", mas também "estou cansada de saber".

Depois, como se quisesse encerrar a conversa, perguntou bruscamente: "O que que o senhor quer de mim?".

A pergunta assim, repentina, me encabulou e ela percebeu. Respondi a primeira coisa que me veio à cabeça: "Quero conversar." Com um leve sorriso irônico, ela pareceu gozar o meu embaraço. "O senhor quer conversar?", fez questão de repetir num tom que acentuava a vacuidade de minha resposta.

Dona Lucinda veio em meu socorro. "Ô, filha, eu te expliquei, ele escreve histórias. Quer escrever minha história e a sua." Kátia rebateu: "A senhora não disse que era para escrever *a minha* história."

A mãe-de-santo já devia estar acostumada com aqueles rompantes, porque não deu muita importância: "Tá bem, filha, ninguém vai fazer o que você não quer, você sabe disso. Agora se manda, pega uma carona com ele, que eu tenho muita consulta ainda hoje", ordenou, quase nos empurrando para o carro.

De fato, nesse momento algumas pessoas já estavam chegando ao terreiro e Rivaldo me comunicou que permaneceria lá até mais tarde: queria entrevistar freqüentadores do centro.

Da Pavuna a Ipanema gasta-se quase uma hora de carro, e a viagem pareceu ainda mais longa pela falta de assunto, ou melhor, pela dificuldade em arrancar de minha carona algo mais do que monossílabos.

"Você conhece dona Lucinda há muito tempo?", puxei conversa para deixá-la mais à vontade.

"Hã, hã", ela resmungou.

"Quanto tempo?"

"Ah, não lembro."

"Rivaldo me disse que praticamente ela te criou, né?"

"Ela me criou."

"Quantos anos você tem?"

"23."

"Onde é que você estudou?"

"No São Sebastião, em Rocha Miranda."

"Você e o Ronaldinho foram colegas?"

"Não."

"Mas ele estudou ali também, não?"

"Não, ele estudou em Bento Ribeiro."

"É verdade. Mas alguém me disse que vocês se conheceram."

"Só de vista."

"A Xuxa também estudou no colégio dele, não foi?"

"Se estudou, foi muito antes."

Eu soubera que Kátia e o craque de 20 milhões de dólares tinham algo em comum – interromperam os estudos no meio do curso pela mesma razão, repetência –, mas achei indelicado tocar no assunto ali. Preferi falar de outra coisa. Tempos atrás, ganhara as páginas dos jornais a história da jovem Raquel Fernandes Pinto, uma das namoradas do craque da seleção, moradora de Coelho Neto, um subúrbio próximo a Bento Ribeiro, antiga residência dos pais do jogador. Ela era aluna da 1ª série do 2º grau do São Sebastião.

Raquel tinha 16 anos e, pelas fotos, era um tipo diferente do de Kátia, mas também bonita, a ponto de ter sido eleita Rainha da Primavera do seu colégio. Minha companheira de viagem provavelmente sabia de quem se tratava, mas quando lhe perguntei, a resposta foi um "não". Só que dessa vez, ficou meio indecisa, ameaçando dizer alguma coisa, logo desistindo. Percebi e provoquei:

"Bonita a Raquel, não? Pelo menos de foto."

Kátia concordou com um "hã, hã", mas com evidente má vontade. Seguiu-se um longo silêncio. Esperei que ela mordesse minha isca de inveja. Mordeu, deixando escapar uma informação.

"Rainha da Primavera eu também já fui."

"É mesmo, Kátia? Quando?", me animei tentando também animar a conversa.

"Ah, não sei, tem muito tempo, quando eu estudava."

E se calou. A vida de Kátia devia ser mais interessante do que aquelas migalhas de história que ela repartiu comigo ao longo de uma hora de viagem em que usei todo o meu charme e ela, uma irritante economia verbal, além da animosidade.

Sentada o tempo todo com as pernas cruzadas, descansando o pé direito sobre o joelho esquerdo, numa posição descontraída, ela viajava muito à vontade, como se estivesse acostumada àquele lugar. Nem uma vez dirigiu o olhar para mim, seu atencioso motorista.

Assim, meio recostada no banco que puxou para trás logo que entrou, acionando um mecanismo que lhe parecia familiar, ela me obrigava a entortar o pescoço toda vez que lhe dirigia a palavra.

Quando passávamos por baixo do viaduto da Avenida Brasil, na altura do Ceasa, na direção da Zona Sul, ouvi um ruído que parecia de telefone, mas não podia ser porque eu não tinha celular no carro. Enquanto tentava localizar a fonte do barulho, vi Kátia enfiar a mão na bolsa e de lá tirar calmamente o seu aparelho. Colocou-o no ouvido esquerdo e ficou falando baixinho. Só entendi quando disse: "Tou indo, um beijo." E desligou, mantendo-o na mão.

Kátia fez a viagem olhando quase sempre para a frente ou para o lado direito. Se no dia seguinte alguém me pedisse para descrevê-la, eu não saberia dizer muito mais além do que vi meio de banda: um perfil anguloso, com um nariz fino contrastando com uma boca de lábios volumosos.

A manga arregaçada deixava bem à mostra as mãos grandes, que tinham tudo a ver com aquele pé direito que era a parte que mais se ofereceu à minha visão durante a viagem. Ah, sim, os cabelos eram lisos e compridos, e uma das distrações de seus demorados silêncios foi brincar com eles, enrolando-os e puxando para cima.

Seria ela bonita? Sinceramente, não podia garantir. Quando a vi a primeira vez no terreiro, me pareceu deslumbrante, mas aquela visão não valia, era uma aparição. Na casa de dona Lucinda, houve um momento em que a achei linda, mas foi tudo muito rápido, já estava escurecendo, e no carro realmente não deu para ver.

A julgar pelo começo, não ia ser tarefa fácil estabelecer um contato com aquele bicho arisco; muito menos, ganhar-lhe a confiança. Naquela noite então era melhor desistir, sob pena de me tornar inconveniente, o que eu desconfiava que já tivesse acontecido. A má vontade da minha carona resistia a todos os meus esforços de simpatia e civilidade.

Eu estava pensando nisso quando passamos pelo hotel Caesar Park, na praia de Ipanema, e Kátia pediu que a deixasse ali, repentinamente, como se acabasse de ter a idéia. "Eu pego uma condução para a Barra aqui, pode deixar." Por cordialidade, ameacei insistir; àquela hora o ônibus devia estar cheio. Ela não hesitou, parecia mesmo disposta a ir sozinha. "O senhor pára aí, por favor", ela disse com tanta determinação que a ordem foi direto ao meu pé direito, que respondeu com uma freada imediata. Nos despedimos também rapidamente, sem sequer nos darmos as mãos. "Boa noite, obrigada." E saltou do carro.

Segui pela praia até a rua Garcia D'Ávila, onde dobrei à esquerda para voltar pela outra pista. Era o meu caminho natural para casa, na rua Joana Angélica, mas era principalmente a chance de vê-la pegar o ônibus. Será que ia pegar uma condução mais cara, com ar refrigerado, como o Frescão, ou iria tomar um ônibus comum?

Minha dúvida durou pouco. Ao passar de novo em frente ao Caesar Park, retornando pela outra pista, diminuí a velocidade e tive uma surpresa: minha carona estava pegando um táxi. Ainda tive tempo de ver: antes de entrar no carro, ela deu um adeusinho ao porteiro do hotel, um conhecido, como tudo levava a crer. O relógio digital da praia marcava 20h45 e 19° de temperatura. Era primavera e uma frente fria estava chegando. O sudoeste começava a soprar.

Não sei por que, mas achei que Kátia fazia ponto ali.

A cabala

O rabino Nilton Bonder tinha 34 anos quando escreveu *A cabala da inveja* e 39 quando o procurei. Sua secretária marcara a entrevista para as 8 horas, na própria sinagoga, na Barra da Tijuca, informando que ele ficaria muito satisfeito se eu pudesse chegar uma hora antes para assistir ao serviço religioso, ou seja, às 7 horas, quando uma parte da cidade se desloca para lá e a outra, para cá. Tentei. Ela me ditou o endereço com referências precisas e inesperadas: "Você conhece a rua dos motéis, perto do Oswaldo das Batidas?". Há muito não conhecia a primeira e do segundo, um bar, nunca ouvira falar. Apesar das explicações e de ter acordado cedo, me perdi, me atrasei, preocupado em não entrar em nenhuma porta errada àquela hora da manhã.

Quando cheguei, a cerimônia havia terminado. Os participantes já estavam no salão de baixo. Eram umas 20 pessoas que, em pé, se serviam de biscoitos, café e chá, em torno de uma mesa grande. Os homens ainda conservavam na cabeça aquele gorrinho redondo, o *kipá*.

Junto à parede havia uma fileira de cadeiras, e me sentei numa, para esperar. Fiquei ali uns bons quinze minutos. Insistiram para que eu comesse ou bebesse alguma coisa, mas recusei delicadamente, embora estivesse com fome. Achei que não pegava bem chegar atrasado para a cerimônia, mas a tempo dos comes e bebes. Era muita coincidência.

Enquanto isso, com a barriga vazia e o olho grande, tentava adivinhar quem tinha cara de rabino ali. Conhecia-o de fotografia, mas não o descobri logo. Alguém teve que me apontá-lo.

Parecia o mais jovem do grupo. A camisa de xadrez de mangas arregaçadas e a calça de veludo cotelê de corte moderno aumentavam o ar de garoto que lhe deve ter custado uma certa resistência da comunidade.

Durante a entrevista manifestei-lhe essa minha impressão e ele achou graça. "Já foi pior", disse, explicando que, no início, o fato de ser jovem realmente decepcionara um pouco. "A expectativa é de que o sábio seja sempre uma pessoa de idade, olhando de cima da montanha para a vida."

Aos poucos, entretanto, as pessoas foram entendendo o seu papel, que ele considera "um pouco semelhante ao do psicanalista: não julgo, não decifro; apenas ajudo as pessoas a fazerem sua própria opção".

Nilton Bonder finalmente se aproximou e então subimos até sua sala no primeiro andar.

Era uma sala pequena de trabalho, com uma mesa em torno da qual nos sentamos. Antes de ligar o gravador, brinco dizendo que fora lá para continuar o curso que começara com *A cabala da inveja*. Ele me explica que o seu livro fazia parte de uma trilogia – sobre a comida, o dinheiro e a inveja – ou seja, os três caminhos que a tradição judaica indicava para se conhecer uma pessoa: "através de seu copo, seu bolso e sua raiva".

Mas de que maneira seria possível detectar a inveja numa religião que não adotava a figura do confessor e nem a noção de pecado?

Ele admitiu que de fato era assim. Embora o sentimento estivesse registrado no 10º mandamento e aparecesse codificado nas lendas e provérbios, não existia no judaísmo um policiamento religioso do tipo "não faça isso porque é pecado".

"Em compensação", observou, "a inveja é tão presente e tão destrutiva que é difícil fazer qualquer exposição religiosa ou ética sem falar direta ou indiretamente dela." Uma das explicações é histórica. "Os judeus viveram durante muito tempo à margem, em guetos; e nas sociedades confinadas as pessoas estão o tempo todo se enxergando, se comparando, experimentando a inveja."

Tolerante, Nilton Bonder se mostrou compreensivo quando perguntei, meio crítico, se o seu livro não era por demais edificante e didático, uma espécie de "livro de auto-ajuda *cult*"?

"Mas ele foi pensado um pouco assim", informou com naturalidade. "Daí, em parte, a boa resposta do mercado." Afinal, religião e psicanálise são sempre auto-ajuda, "na medida em que propõem ao indivíduo se autoconhecer, se auto-ajudar".

Antecipando o que eu iria encontrar em outras obras, *A cabala* apresentava a eficiência persuasiva dc um agradável sermão, em que parábolas, provérbios e comparações eram utilizados para desvendar as "dissimulações" desse sentimento "incontrolável", "involuntário", "universal e endêmico".

A inveja era mostrada como um "atentado ecológico à mente e ao coração". Nos tornamos "depósitos de elementos poluentes", "não-degradáveis", sem possibilidade de "reciclagens". O propósito de Bonder, ao escrever o ensaio, era "isolar o vírus da inveja" para reduzir sua agressividade e torná-la mais tolerável.

Quando necessário, o rabino recorria a expedientes que parecem pouco ortodoxos, como "limpezas estruturais" e "sacudidas", que mais lembram o conceito de "descarrego" dos umbandistas. A diferença, ele me explicou, é que muitas vezes projetamos nos outros a malícia que na verdade está dentro de nós.

Usando a sabedoria do Talmude, dos textos bíblicos e dos rabinos, Nilton Bonder distribuiu pelo livro muitas historinhas da tradição judaica, como a de dois homens, um que cobiçava e outro que invejava.

Certa vez, um anjo apareceu no deserto e se dispôs a atender ao pedido deles, com uma condição: o que fosse dado a um seria dado em dobro ao outro. O cobiçoso sugeriu que o invejoso fizesse o seu pedido primeiro, mas este rejeitou logo, para que o outro não ficasse em situação melhor.

Só aceitou a sugestão quando teve uma idéia diabólica: que o anjo cegasse um de seus olhos.

Tempos depois, um psicanalista me informou que a prática simbólica do "fure-me um olho" aparecia com muita freqüência na clínica, como o simbolismo mais radical de até onde pode chegar um invejoso. Para causar a infelicidade do outro, ele está disposto a compartilhá-la, chegando ao cúmulo do desprendimento e da doação em favor do mal.

No livro, o autor transitava facilmente da sabedoria comum ao saber culto. Para mostrar como a inveja é um sentimento *popular*, ele aproveitava o episódio fundador da rivalidade entre irmãos para dizer que se Caim tivesse matado Abel por necessidade ou por ciúme, seu crime não teria tido tanta repercussão.

Saí do livro – e da entrevista – sabendo como a inveja incorpora a ganância, a avareza, a voracidade, o ciúme e sobretudo o ódio, escamoteado e surdo – "um ódio que se conserva, se armazena, que permanece e que não é aplacado".

O mais surpreendente, porém, era que, apesar do caráter destrutivo e depressivo do sentimento descrito, da tristeza e do ódio – "só se inveja quando se está triste", diz um rabino na *Cabala* –, o livro tinha um *happy end*. Para se curar a inveja, basta superar nossa grande dificuldade: lidar com a felicidade dos semelhantes. Para isso, é só pôr em prática o verbo iídiche *farguinen*, que significa: "compactuar com o prazer e a alegria do outro".

Caim e Abel

Apesar das esperanças de Nilton Bonder e de seus esforços no sentido de isolar o vírus da inveja, a literatura sobre o tema demonstrava que ela é um mal de difícil cura. Muitos já haviam tentado antes. Os marxistas acusavam a religião de oferecer "imagens mentais" para liberar o invejoso de sua inveja. Mas eles mesmos, como ironizou Helmut Schoeck, "de maneira ingênua, achavam que resolviam o problema da inveja com sua utopia de uma sociedade integralmente igualitária". Desde que, conforme a Bíblia, o vírus foi detectado pela primeira vez num ambiente tão asséptico e pouco propício quanto o Paraíso, infectando Lúcifer, o portador da luz, e transformando-o no anjo das trevas, o mal vem desafiando nossas defesas.

Contagioso, propagou-se pela Terra; congênito, atacou desde o início. Como se sabe, o primeiro ser humano fecundado pelo sêmen de um homem numa mulher, o que experimentou a relação primal de prazer e frustração, o que mamou no seio materno, esse já nasceu com o sangue contaminado pelo vírus da inveja.

Talvez tenha sido ele, o primogênito, e não seus pais, o autor do verdadeiro pecado original, até porque desobedecer não está entre os nossos sete principais delitos. Será que já não dava para desconfiar de um projeto cuja primeira ação foi a desobediência e a segunda um homicídio?

Mas isso é outra história. O que não se discute é que foi graças à inveja, como garantem o rabino e outros autores, que o primeiro crime da história repercutiu tanto até hoje, fazendo de Caim e Abel dois dos personagens mais populares da Bíblia.

A inveja foi a responsável pela transformação do que deveria ter sido um episódio fraterno num vergonhoso caso de polícia, com um assassino e uma vítima inaugurando a violência no mundo.

Desde então, o crime de Caim tem incendiado a imaginação dos escritores – de Santo Agostinho a Shakespeare, de Ovídio até as novelas de televisão. Seus enigmas e mistérios viraram metáforas e parábolas contemporâneas, uma das quais é que a inocência não serve para proteger. As vítimas podem variar, seja Abel ou sejam os escravos, os índios ou os judeus, mas a resposta será a mesma – a indiferença.

Com todo o respeito se pergunta: por que esse silêncio de Deus diante da morte dos inocentes? Não se poderia ler essa história como a vitória da impunidade? A defesa de Caim sempre alegou que ele tinha que ser protegido da vingança. Mas de quem, se com a morte do irmão ele estava praticamente sozinho na Terra?

Outro mistério é que qualquer pai sabe que não se deve preferir um filho a outro, sob pena de condenar o rejeitado ao divã de um psicanalista ou à cadeia – ou então, quando se livra disso, como no caso de Caim, a uma vida errante. Embora sem participação no episódio, Adão e Eva certamente teriam o que declarar, mas não se sabe por que não foram ouvidos.

Fazendo essas perguntas a um sacerdote, recebi uma resposta inteligente. Padre José Roberto (que aparece também em outro capítulo) alegou que, apesar de ter continuado vivo, "Caim morreu de verdade, até historicamente". Sacerdote há 24 anos e professor há outros tantos, ele deu um exemplo: "Nas minhas fichas de chamada sempre havia um Abel, mas nunca encontrei um Caim. Quem não tem um conhecido de nome Abel? Mas ninguém conhece um Caim."

O problema é saber se valeu a pena – se a morte de Abel não habituou a humanidade a esse princípio inutilmente correto de considerar que inocente bom é inocente morto.

Independente das interpretações, o fato é que o lamentável *faits divers* envolvendo os filhos de um casal tão ilustre ou foi muito mal apurado ou é uma história mal contada. Será por isso que seu interesse tem durado tanto? Depois desse crime, quantos outros mais cruéis e ignóbeis já não foram arquivados?

Se Caim tivesse matado por ciúme, ciúme passional, por exemplo, teria tido a mesma repercussão? A psicanalista Melanie Klein, que podia não entender de crime, mas era craque em inveja, acha que não. Segundo ela, ao contrário da inveja, uma "paixão vil", o ciúme contém uma carga de amor que lhe concede o benefício de atenuantes, reconhecido até pelo código penal de muitos países. O crime passional de um ciumento é em geral menos grave do que de um invejoso.

A autora do clássico *Inveja e gratidão* foi uma das primeiras pesquisadoras a tentar isolar o vírus da inveja, embora não por razões religiosas e edificantes. Movida por curiosidade científica, ela chegou a criticar Shakespeare por "nem sempre distinguir a inveja do ciúme", que ele chamou de "monstro dos olhos verdes". É verdade, mas em compensação, no final da tragédia, uma obra-prima sobre o tema, não resta dúvida de que Otelo é a encarnação do ciúme e que o vilão da peça é o torpe e repugnante Iago, o invejoso.

Depois de Melanie, muitos outros especialistas retomaram o seu esforço. Segundo o psicanalista americano Joseph H. Berke, autor de *A tirania da malícia*, a inveja é o "mais malévolo de todos os componentes da malícia". Ela seria para os tempos modernos o que o sexo foi para a era vitoriana: "uma obsessão que mais valia ser esquecida, negada ou evitada".

Berke reforça a sua tese citando Chaucer. No *Parson's tale* (*O conto do pároco*), um longo sermão sobre a penitência que contém, entre muitos outros temas, um tratado sobre os sete pecados capitais, o grande escritor inglês do século XV diz: "Certamente a inveja é o pior pecado que existe, pois todos os outros pecados são contra uma virtude, enquanto ela é contra toda virtude."

Como psicoterapeuta, Berke escolheu alguns casos clínicos da literatura, do teatro ou da música para analisar. O primeiro foi o de Ivan Babichev, personagem do romance *Inveja*, do escritor russo Yuri Olesha. É um caso curioso de inveja entre sexos.

Ivan invejava uma colega e num baile em que ela brilhava, ele teve um surto de ódio. "Agarrei a garota no corredor e parti para cima dela: rasguei-lhe as fitas, desmanchei seus cachos, arranhei seus braços encantadores." Ivan fala então da "terrível azia da inveja" e Berke explica que ele amava a menina "não por si mesma, mas porque desejava ser ela".

Na personificação mais célebre da inveja no teatro, Iago, o autor analisa o processo corrosivo e destrutivo do sentimento invejoso. "A torpeza de Iago é parte de sua natureza", diz Berke, explicando os artifícios e artimanhas usados por ele para infernizar a vida sentimental de Otelo, um general mouro de quem é alferes e cujo sucesso na guerra e no amor ele inveja.

Um dos expedientes é lançar a suspeita contra a reputação e a fidelidade de Desdêmona, o grande amor de Otelo e à qual dirige também sua inveja. Fingindo amizade, servindo de confidente, com malícia e astúcia, ele inocula em Otelo o ciúme, o desespero e a desconfiança – "derramarei esta pestilência no ouvido de Otelo", ele anuncia.

Outro exemplo analisado por Berke é Salieri. O rival de Mozart teria, como Ivan e Iago, a "paixão intensa, implacável, irracional, irreconciliável e rancorosa, preocupada em prejudicar, corromper, difamar e destilar ressentimento".

O Salieri histórico, não o da ficção, parece não ter sido bem assim, mas, como admite o próprio Berke, "um compositor prolífico e respeitado, um gigante musical", autor de 40 óperas e que teve como alunos, entre outros, Beethoven, Liszt e Schubert.

O psicanalista americano, no entanto, baseou-se na versão difundida pelo cinema: a de Peter Shaffer, na qual Milos Forman se inspirou para fazer o filme *Amadeus*. Preferiu assim a livre interpretação dramatúrgica, que concentra o desespero e a impotência invejosa naquilo que está na origem da inveja: a comparação.

Nessa versão, Salieri aparece dizendo: "Então, pela primeira vez senti o meu vazio, como Adão sentiu sua nudez. Confesso que envenenei a reputação de Mozart junto ao imperador pela calúnia constante. Confesso que o empurrei para a pobreza utilizando os meios mais simples."

Ao dedicar sua vida a destruir a do outro, ao lançar mão de seu talento e energia para fazer mal a Mozart, chegando até o envenenamento, Salieri "dirigiu sua fúria contra Deus e contra aquela incorporação da centelha divina, a criatividade de Mozart", conclui Berke.

Quase todas as histórias de inveja demonstram que dificilmente ela age sozinha; está sempre em má companhia. Pertence a uma família incestuosa em que às vezes não se sabe quem é filha e quem é irmã, sabe-se apenas que todos são parentes. A inveja lembra o ciúme, mas também a cobiça, e com os dois se confunde. É mesquinha como a avareza e mantém com o ódio relações tão estreitas que há quem diga que uma não existe sem o outro.

Num trabalho pioneiro sobre o fenômeno nas empresas – *Inveja nas organizações* –, a professora de Administração da Puc-Rio Patrícia Amélia Tomei considera o isolamento do vírus "uma utopia possível". Mas para *gerenciar* a inveja e combater suas "estratégias destrutivas", ela recomenda "entendê-la, aceitá-la e tratá-la com naturalidade", além da adoção de "práticas democráticas".

Uma colega de Joseph Berke, a Dra. Nina Coltart, criou uma categoria para demonstrar que "inveja e cobiça raramente operam separadamente". "Coinveja" é o nome dessa fusão. Para exemplificá-la, a autora cita casos de vandalismo e assalto em que os ladrões, além de roubarem, produzem estragos nas casas – assim como os personagens de *Feliz ano novo*, de Rubem Fonseca, fizeram no assalto que cometeram na avenida Vieira Souto, no Rio, num *réveillon* dos anos 60.

Ao identificarem tantas emoções, impulsos e afetos juntos, essas experiências de decomposição reforçam a certeza de que a inveja não é um sentimento quimicamente puro. Seria ela um mal necessário? Por mais perniciosa e destrutiva que seja, há quem acredite na sua função social. "Uma pequena quantidade de inveja", diz Berke, "é um impulso essencial para a mudança."

Ele defende a tese de que sem o estado de tensão provocado pelo sentimento invejoso, as pessoas "relaxariam", perderiam a competitividade.

Nisso a tese do psiquiatra lembrava a de Rivaldo, o jovem antropólogo que me levou até dona Lucinda. Ambos diziam a mesma coisa, sem que um conhecesse o outro – que a inveja permite que as pessoas exercitem uma "supervisão mútua" umas sobre as outras.

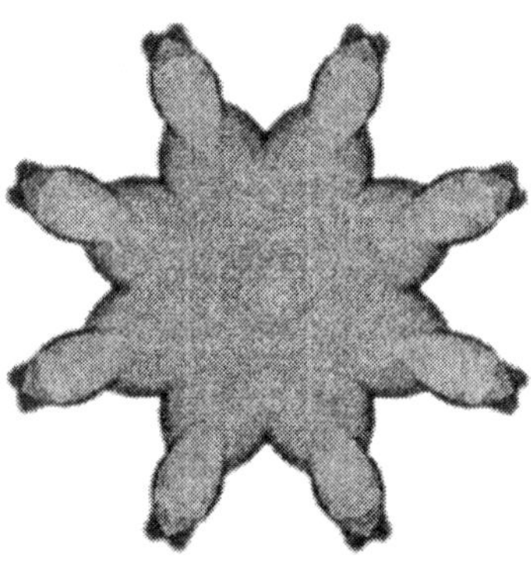

Magia negra

Algumas semanas depois daquela carona que dei a Kátia, fui ao Centro e, meio desanimado, contei a dona Lucinda minha conversa com a moça, ou melhor, minha *não-conversa*. A velha não deu a menor importância. "Kátia é assim mesmo, desconfiada", argumentou, acrescentando que a moça tinha passado por "maus bocados". Aos poucos, adquirindo confiança, se abriria mais. "Você não sabe o que Kátia sofreu, ela nasceu duas vezes", contou então a mãe-de-santo. "Primeiro, quando veio à luz em 1973; depois, no ano seguinte, quando o barraco onde morava com a mãe foi soterrado pela enchente." Segundo o relato talvez um pouco exagerado de dona Lucinda, os bombeiros já estavam indo embora exaustos pelo trabalho contínuo de 48 horas resgatando corpos, quando ouviram um débil gemido.

O tenente insistiu em voltar e remover os escombros, porque acreditava que havia gente viva.

De fato havia, Kátia estava lá, era a única sobrevivente. Puxada com dificuldade pela cabeça, foi salva milagrosamente. Ficara debaixo de tijolos, cimento e poeira quase dois dias. A operação de salvamento deixou-lhe um pequeno "amassado" que não se percebe.

Ninguém suspeita que aquela cabeleira basta e longa cobre uma cabeça que foi quase esmagada. Ela acha graça ao se lembrar da descrição que dela faziam os vizinhos.

"Diziam que eu tinha uma cabeça muito feia. Eu queria muito encontrar aquele bombeiro para agradecer. Você podia me ajudar", disse bem mais tarde quando, mais íntimos, ela se permitia fazer-me confidências.

Prometi que ajudaria com uma disposição tão sincera quanto passageira. Cheguei a telefonar para o quartel central do Corpo de Bombeiros pedindo informações ao serviço de Relações Públicas. Mas mandaram que eu ligasse depois com mais detalhes para localizar o oficial e eu acabei me esquecendo.

Uma tarde, a seu pedido, levei-a ao departamento de Pesquisa do *Jornal do Brasil*, peguei quatro pastas "Enchentes", abrangendo os anos de 1966 até 74, e lhe entreguei.

Kátia queria ler as notícias sobre o acidente do qual escapou e que soterrou sua mãe. Ela ouvira muitas histórias dessas tragédias contadas por pessoas que por sua vez ouviram de outras que teriam presenciado os desabamentos. Nada em primeira mão, nem o relato dos jornais. O que a intrigava era não só o seu salvamento mas também a morte da mãe. Diziam que "morreu porque tinha chegado a hora". Escapara de duas tragédias.

"Minha mãe morava na Rocinha quando houve aquela chuvarada e morreu todo mundo, pouco antes de eu nascer" (na Pesquisa, no entanto, Kátia descobriu que o temporal que provocou 34 mortos e mais de mil desabrigados na Rocinha foi em janeiro de 1966 e não nos anos 70).

Exatamente um ano depois, a mãe de Kátia, que fora obrigada pelo desabamento a se mudar para Caxias, escapou de morrer em outra tragédia, pois trabalhava num dos três prédios de Laranjeiras que foram soterrados por uma pedra que rolou morro abaixo. Naquela noite, ela resolvera dormir em casa.

Mas em dezembro de 1974 não houve jeito: as chuvas que caíram durante três dias provocaram várias inundações na Baixada e acabaram por fazer desabar o barraco onde ela morava com a mãe.

Depois de umas duas horas de consulta, Kátia me agradeceu comovida: "Hoje eu me encontrei com minha mãe." Nunca mais falou no assunto.

Órfã e sem parentes, Kátia foi adotada por uma vizinha que veio a morrer anos mais tarde. Passou então a perambular de casa em casa, a "mudar de mão", como diziam os moradores. A cada noite ou semana era abrigada numa casa, depois noutra, até que dona Lucinda resolveu adotá-la informalmente.

"A bichinha vai ficar comigo", decidiu um dia a mãe-de-santo, levando-a para o seu centro, lá naquele buraco que eu conheci. "É um absurdo ela ficar pulando de mão em mão."

Deu-lhe um novo nome, Kátia (o antigo não se sabia ao certo), registrou-a num cartório cujo titular era cliente do seu terreiro e cuidou de sua alfabetização. Depois, graças a uma bolsa dada por uma cliente rica da Zona Sul, matriculou-a num colégio de Rocha Miranda do qual dona Lucinda não se lembrava mais o nome.

Se no começo a vida tinha sido adversa para a menina enjeitada, não se podia dizer o mesmo hoje. Aos 23 anos, ela trabalhava num escritório na Barra da Tijuca e morava num apartamento "de luxo", a crer na informação de sua mãe postiça. "Com essa cara e esse corpinho, Katinha só não caiu na vida porque sempre teve boa cabeça."

"Ela teve muito desgosto no amor, mas acho que foi melhor assim. Viveu amigada, comeu o pão que o diabo amassou, mas agora pelo menos tem onde cair morta. Ele deixou o apartamento pra ela."

"Ele quem, dona Lucinda?"

"O rapaz que tava amasiado com ela."

Havia uma porção de perguntas a fazer. Se era solteira, como tudo indicava, quem a sustentava agora? Será que havia um *coronel* na história? Como podia pagar um táxi de Ipanema à Barra, como fizera na semana passada? E aquele celular?

Mas antes preferi perguntar pelos dois amigos. Sabia que eles tinham sido criados praticamente como irmãos: brincaram juntos, estudaram no mesmo colégio e tinham quase a mesma idade.

"Rivaldo me disse que a inimizade dos dois começou por causa de Kátia, é verdade?", perguntei.

"Não, não é não. Pode ter piorado por causa dela, mas eles já brigavam desde pequenos, disputavam tudo. Me lembro deles brigando por causa de bola de gude, de pipa, um quebrando o carrinho do outro. Nunca nenhum dos dois tava satisfeito com o que tinha. Mas eram inseparáveis."

"Um morreu, não é?" Ela disse que sim, o mais novo. "Morreu no ano passado. Parece que foi do coração, ele tava sofrendo de amor." E encerrou o tema: "Kátia é que sabe."

Ainda insisti. "Rivaldo me falou que eles eram que nem Caim e Abel, é verdade?"

"Ah, é, aqueles da Bíblia, né? Qual mesmo o que matou por causa de inveja?"

Quando respondi Caim, ela cometeu um ato falho: "Caim era que nem o Ivan, né?", disse quase sem querer.

Achei que por ora devia encerrar meu trabalho de apuração. Havia gente à espera de dona Lucinda, que me despachou, garantindo que me telefonaria assim que tivesse falado de novo com Kátia.

"Como é que a senhora vai me ligar, se não tem o meu número?", perguntei, certo de que estava me enrolando. Se não conseguia pronunciar direito meu nome, se só vagamente sabia que eu era "escritor", como iria me localizar?

"Tenho sim, o de casa e o do jornal", respondeu com um risinho vitorioso. Fiquei preocupado.

Pelo jeito, suas apurações em relação a mim estavam mais adiantadas do que eu pensava – talvez mais do que as minhas em relação a ela.

Eu andava meio temeroso, e os leitores vão entender o motivo quando eu relatar o que ocorreu nessa ocasião num terreiro vizinho ao de dona Lucinda – a mais bárbara e sangrenta história de inveja de que tomei conhecimento enquanto pesquisava o tema.

Eu estava no *JB* num domingo à tarde, cumprindo minha parte num rodízio de praxe. Uma vez por mês, revezando com outros colegas, tinha sob minha responsabilidade a edição de fim de semana.

Aí por volta das 7 horas da noite, o editor do caderno de Cidade entrou na sala para apresentar o seu cardápio de matérias, a exemplo do que já tinham feito os outros editores. Competia a mim escolher as matérias que mereciam ser *chamadas* na primeira página. Ele começou a "vender" o que sua editoria tinha de melhor:

"Temos uma boa história do rapaz que morreu na Barra com choque térmico – o sol estava muito quente, a água a 14 graus, ele mergulhou e morreu. Já é o décimo caso nessas últimas semanas."

"Temos também a operação da PM na praia, com um pouco de tumulto, de tensão, algumas prisões, umas apreensões de drogas mas só, nada de interessante."

"E finalmente temos duas histórias, mas essas são baixaria, acho que você não vai querer *chamar* na primeira."

"Quais são?", perguntei.

Ele começou fazendo humor negro: "É um 'seqüestro de útero'", brincou. Depois fez o relato: "Em São Gonçalo, uma mulher de 25 anos, grávida de nove meses, foi seqüestrada, entrou em trabalho de parto e seu bebê foi levado pelos seqüestradores. Parece que o ex-marido está envolvido."

Recusei e perguntei pela segunda.

"Essa é um ritual de magia negra, barra pesada, só sangue, nem mandei cobrir: uma mãe-de-santo matou uma filha-de-santo por inveja, depois arrancou os olhos, cortou a língua, enfiou um cálice na boca..."

"Onde?", interrompi, com um desagradável pressentimento.

"Na Pavuna", respondeu o editor. Perguntei o nome da mulher e ele respondeu: "Ah, não sei; derrubei a matéria."

No dia seguinte cedo, saí para comprar *O Dia* e *A Notícia*. No primeiro, o crime era a matéria principal da página 11 e, no segundo, a manchete de primeira. Na *Notícia*, havia também uma foto enorme da filha-de-santo invejada, Yara, nua, o corpo estendido, escancarado, com partes e detalhes anatômicos expostos. Diante do exemplar pregado na banca, um grupo alegre e mórbido se divertia: "Olha os peitos, cara. Passou a ferro os dois biquinhos. Olha a xoxota!".

Lá dentro, a matéria descrevia:

"Possuída pelo demônio, a mãe-de-santo Marlene Damasceno de Souza, 37 anos, sacrificou num ritual de magia negra a filha-de-santo Yara Pires de Souza Neves, 48. Pelada e completamente em transe, a mulher arrancou com uma faca os olhos, os dentes e a língua de Yara, enfiou em sua boca um cálice de madeira, queimou os seios com ferro de passar roupa, e se banhou com o sangue da oferenda de exu. O filho de Marlene, M., de 14 anos, também nu, assistiu perplexo às cenas macabras."

A assassina fora presa e levada para a 40ª DP, de Honório Gurgel, por uma guarnição do 9º BPM, de Rocha Miranda. A matéria informava ainda que o próprio marido de Marlene, o motorista de ônibus Adair da Silva Simões, 52 anos, chamara a polícia assim que chegou a sua casa por volta da meia-noite de sábado.

O terreiro ficava na Afonso Terra, 832 – a mesma rua do Centro de dona Lucinda.

Eu já estava me sentindo numa foto daquelas.

A número *1*

Durante um bom tempo não fiz outra coisa senão tentar aprender como se faz uma pesquisa de opinião. Havia algumas perguntas-chave que gostaria de distribuir para psicanalistas, padres e mães e pais-de-santo, mas não sabia como formulá-las. Botei então todas no papel em forma de questionário e mandei para Silvana Gontijo, uma amiga que havia escrito um livro sobre o Ibope. Ela leu as perguntas, fez vários ajustes e correções, mas sugeriu que eu entrasse em contato com Claúdia Santoro, daquele instituto. A partir desse dia, Cláudia e sua colega Cecília funcionaram para mim como indispensáveis assessoras: modificaram o questionário, introduziram perguntas, refizeram outras. Eu não parava de ligar para elas.

Depois de muitas dúvidas, achei que os questionários estavam prontos para serem enviados. Daniele Ribeiro ficou encarregada de entrar em contato com as entidades e associações que selecionamos: Círculo Psicanalítico, Sociedade Brasileira de Psicanálise, Sociedade Psicanalítica do Rio de Janeiro e Federação de Umbanda.

A Sociedade Brasileira tinha 263 associados, a do Rio de Janeiro, 151, e o Círculo Psicanalítico, 81. O total chegava a 495 psicanalistas. Era questionário demais, sem falar nos 5.000 centros e terreiros filiados à Federação de Umbanda. Fora os padres.

Por indicação de uma amiga, eu fora procurar Monsenhor Abílio Ferreira da Nova, da Paróquia de Copacabana. Com paciência religiosa, ele sentou-se comigo diante do anuário da Arquidiocese do Rio de Janeiro e selecionou cerca de 80 confessores entre os 300 religiosos da lista: padres, freis, irmãos, monsenhores.

O campo de amostragem estava me deixando assustado. Como é que iríamos tabular todas essas respostas? Liguei correndo para Cláudia e contei-lhe o que se passava: estávamos com a perspectiva de remeter cerca de 500 questionários para os psicanalistas, 5.000 para mães e pais-de-santo e uns 80 para os padres.

"Não é nada disso!", ela riu de mim. "Existe uma coisa chamada amostragem. Não adianta entrevistado de mais!"

Tempos depois, ela me telefonou, anunciando: "Vamos fazer uma pesquisa nacional. Se você quiser, podemos incluir umas perguntinhas sobre a inveja. Se você quiser, claro."

Custei a acreditar: uma pesquisa exclusiva? Em todo o país? Só para o livro?

Era exatamente isso. Acionadas por Silvana, as três tinham organizado uma conspiração a meu favor. Aproveitei para fazer uma sugestão: além das perguntas de praxe, a gente apresentaria uma lista com uma dezena de nomes. Sabia-se que as pessoas invejam o vizinho e o colega de trabalho; não os ídolos e os mitos. A inveja é como a serpente, seu símbolo – ataca de perto. Os personagens distantes despertam na verdade "inveja boa", isto é, admiração. Quais seriam então os brasileiros invejáveis?

Uns dois meses depois recebi um fax de Cecília avisando que estava com o resultado da pesquisa na mão.

Liguei correndo: "Não sei se é pra ficar triste ou contente", ela disse e fez uma pausa. "Mas ninguém é invejoso no Brasil."

Levei um susto. Será que o livro ia ter que parar por falta de tema? "Imagina que 84% das 2.000 pessoas entrevistadas em todo o país dizem que *nunca* cometeram o pecado da inveja."

Perguntei quantas declaravam conhecer. Ela respondeu: 73%.

Senti um alívio e tranqüilizei Cecília: o resultado confirmava o que a literatura teórica dizia da inveja. Todo mundo conhece o pecado, mas não gosta de admitir que o comete – é inconfessável, pelo menos publicamente.

Fui correndo pegar o resultado. Abri o relatório no elevador como se estivesse abrindo o resultado de um exame de urina. A ansiedade era parecida. Encadernado em papelão preto e com as páginas presas por uma espiral de plástico, o trabalho trazia na capa um adesivo com as seguintes informações: "OPP 211/97 – Brasil – 2.000 entrevistas – Inveja – 17 a 22 de setembro de 1997". Dentro, na página de rosto, vinha o título: "Pesquisa de opinião pública sobre os sete pecados capitais".

Naquela altura, o livro estava bem adiantado. E se aquela pesquisa, a mais completa e abrangente feita no país sobre o tema, resolvesse desmentir o que eu já tinha escrito?

Fui lendo as "especificações". Elas impressionavam. O universo do levantamento abrangia a população do Norte, Centro-Oeste, Nordeste, Sul e Sudeste, incluindo capitais, periferias e interior. Municípios de até 20 mil habitantes, de 20 mil a 100 mil, e de mais de 100 mil. Havia grupos de idade de 16 a 24 anos; 25 a 34 anos; 35 a 44 anos; 45 a 54 anos; e com 55 anos ou mais. Usava os mais novos critérios de classificação econômica: A1/A2/B1/B2, C, D/E.

Minto, fui ver tudo isso depois. Agora, o que eu queria era ver "os resultados". Sou péssimo leitor de números e pior analista de pesquisas. Nunca soube interpretar o que percentuais e números querem dizer atrás de sua frieza. Levei alguns dias para tirar conclusões que eram óbvias. Queria recorrer à Cecília, mas não sabia nem o que perguntar.

Finalmente resolvi marcar com ela uma reunião para que me ajudasse a fazer a "tradução". Numa tarde, peguei o elevador e subi os 35 andares da Torre Rio Sul, em Botafogo, que levavam à sua sala. Às 4 horas em ponto estava eu lá.

Era a primeira vez que nos víamos. Logo depois de nos apresentarmos, chegou Carlos Augusto Montenegro, o diretor-executivo do instituto, um conhecido de muitos anos. Todo aquele exaustivo levantamento só fora possível, claro, porque ele autorizara.

Cecília e eu começamos a ler juntos os resultados. A constatação mais óbvia foi que os brasileiros não conheciam os sete pecados capitais. A primeira pergunta dos pesquisadores fora: "Sem levar em consideração a sua religião ou suas crenças religiosas, o senhor (ou senhora) saberia citar os sete pecados capitais instituídos pela Igreja Católica? (caso sim) Quais são os sete pecados capitais? (espontânea)".

Quarenta por cento das pessoas responderam que não conheciam "nenhum" e 48% não souberam ou não opinaram. Ou seja, só 12% citaram alguns ou os sete pecados capitais; e apenas 5% identificaram a inveja como pecado.

Sintomaticamente, porém, quando os pesquisadores mostraram as cartelas com os sete pecados e perguntaram quais deles você "conhece ou se lembra?", 73% responderam: "inveja".

O pecado surgia como o mais conhecido em todos os níveis e classes sociais, pelos mais e os menos instruídos, entre os velhos e os moços, pelos homens e as mulheres. Estas, aliás, tidas pelo senso comum como "mais invejosas", suplantavam os homens em conhecimento da questão: 77% contra 70%.

A pesquisa não deixava dúvida: no Brasil, a inveja ganha disparado de todos os outros pecados. O segundo colocado, a preguiça, tinha 14 pontos a menos, com 59% do total. A seguir vinham a ira (48%), a gula (45%), a luxúria (39%), a soberba (37%) e a avareza (30%).

O resultado mais inesperado talvez tenha surgido quando os entrevistadores quiseram saber com que freqüência as pessoas cometiam pecados, se é que cometiam. Embaixo de cada pecado vinham as opções: "Freqüentemente – De vez em quando – Raramente – Nunca".

Foi então que 84% responderam "nunca" ter cometido o pecado da inveja. 1% respondeu "freqüentemente"; 7%, "de vez em quando"; outros 7%, "raramente"; e 2% não responderam ou não opinaram.

Esses resultados desconcertantes – 73% dizendo conhecer o pecado e 84% negando cometê-lo – tinham na verdade uma explicação, pois resumiam o que a literatura dizia: as pessoas conhecem o pecado, mas negam que o praticam.

Quando chegamos à quarta pergunta, que procurava descobrir os aspectos que mais causam inveja, o resultado foi o seguinte: 34% das pessoas sentiam inveja do sucesso (profissional e pessoal); 25% invejavam os bens materiais (casa, carro, roupa); 24%, os valores morais (honestidade, coragem, integridade); 22% dirigiam seu olhar invejoso para os atributos físicos (beleza, simpatia, charme, sedução). As outras causas estavam assim distribuídas: 19% invejavam o status socioeconômico (classe, situação financeira); 14%, a fama e 13%, o poder.

Se a gente juntasse à categoria "sucesso" alguns itens afins, como "fama" e "poder", ele virava imbatível. Ou seja: somando 34% + 14% + 13%, obtínhamos uma maioria de 51% de pessoas invejando atributos que não tinham nada a ver com valores morais e mesmo físicos.

Na quinta pergunta, os entrevistados deveriam dizer se percebiam ou não que alguém sentia inveja deles. Sessenta e cinco por cento responderam que sim, 35%, que não e 1% não soube ou não opinou. Entre as pessoas com grau de instrução superior, a percepção chegava a 75%.

Cecília atribuía isso a uma presença maior de auto-estima. Mas logo depois, constatou que a ocorrência se dava também entre os que ganham menos. Cinqüenta e oito por cento dos que recebem até dois salários mínimos e 60% de membros da classe D/E se sentiam invejados. O dado servia para lembrar a natureza universal do pecado. Ele não é um traço de classe.

Rimos muito das respostas à sexta pergunta, sobre o que se faz contra o mau-olhado. Na terra da mandinga, 54% responderam: "nada". Eu andara perguntando o mesmo a amigos e conhecidos dignos de inveja e a maioria das respostas era mais ou menos a mesma.

A situação mais curiosa ocorreu com o escritor mais invejado do país: Paulo Coelho. Jantar na casa de Claude Amaral Peixoto, vamos comer a sobremesa na outra sala. O mago puxa o assunto da inveja, querendo saber em que pé estava o livro. Digo que vai indo e aproveito para informalmente lhe fazer a pergunta inevitável: como é que ele, invejado como poucos por seus pares, se defendia? Usava amuletos? Galho de arruda? Figa?

"Nada, só oração", ele disse e eu ri, achando que ele ia repetir o que já estava cansado de ouvir, algo como "não tomo conhecimento".

O seu argumento, porém, era muito esperto. "Se você reconhece que estão te invejando, você está usando a mesma arma, já é uma forma de sucumbir à inveja."

Naqueles dias, o filósofo francês Luc Férry dera uma entrevista a José Castelo, do *Estado de S. Paulo*, dizendo que nas sociedades democráticas a "paixão mais violenta" é a inveja. "Em um mundo igualitário, o sucesso do outro se torna insuportável. Por isso os intelectuais desmerecem Paulo Coelho."

Recusando-se a falar de si, Paulo continuou seu discurso teórico sobre a inveja, e as pessoas da outra sala foram chegando a tempo de ouvi-lo. "Posso invejar sem querer destruir", disse alguém defendendo a tese da "inveja boa". Quase todos apoiaram. Derrotado, desisti da discussão e pensei que eles não perdiam por esperar. Quando eu entrevistasse o psicanalista Renato Mezan, eles iam ver.

Divertindo-se com um lápis e um papel num canto, o chargista Chico Caruso resumia tudo em alguns traços. Aproveitou para fazer uma caricatura minha e do Paulo: "Separados por algumas samambaias e uns 3 milhões de dólares."

Contei essa história para Cecília e voltamos à pesquisa. Apesar da maioria que não fazia nada para se proteger, era grande também o número dos que imitavam sem saber Paulo Coelho: 38% afirmavam "rezar, fazer orações, se benzer". Por ironia, 0% das pessoas ouvidas, ou seja, ninguém, se protegia "através do esoterismo". Queria era rezar – a exemplo do que o nosso mago fazia.

Os resultados desse item podiam estar prejudicados pelos mecanismos de defesa e os disfarces que se usam contra a inveja. É evidente que o "não fazer nada" declarado por 54% das pessoas podia ser também uma forma de desqualificar a inveja. Nada pior para o invejoso do que perceber que o invejado não lhe dá importância.

Finalmente, a pergunta sobre os invejáveis e o resultado mais destoante. "Aqui estão os nomes de algumas personalidades muito conhecidas pelas pessoas. Pensando na situação financeira, na fama, na beleza ou no poder destas pessoas, o(a) sr(a) diria que sente inveja de algumas delas? (caso sim) De qual destas pessoas?"

Nada menos que 83% declararam não sentir inveja de nenhum dos nomes apresentados. Os restantes escolheram assim os seus mais invejáveis:

Xuxa e Ronaldinho em primeiro lugar, com 5%; Sílvio Santos, com 4%; Pelé e Betinho, com 3%; e Fernando Henrique, Roberto Marinho e Antônio Ermírio de Moraes, todos com 1%.

Fiquei perplexo quando vi os 83%. Não é fácil explicá-los. Será que essas personalidades não provocam inveja? O que se sente então por elas? Nada? Nenhuma simpatia? Afinal, na lista apresentada estavam com certeza alguns de nossos principais ídolos.

Cecília e eu estudamos algumas hipóteses e achamos que a mais provável talvez fosse a má compreensão da pergunta. Havia uma grande ambigüidade na palavra "invejável". Ela tem conotação positiva, mas no contexto do questionário talvez tivesse havido uma espécie de contaminação negativa.

Enfatizou-se tanto a noção de pecado nas outras perguntas que, ao chegar à última, as pessoas poderiam achar que estavam sendo induzidas a fazer uma declaração de inveja contra aqueles personagens. Em vez da "inveja boa" contida na palavra "invejável", talvez estivessem percebendo a "inveja má". É como se desconfiassem: "Eles estão querendo é que eu confesse que sinto o pecado da inveja em relação a essas pessoas."

Cecília explicou que, "se em vez de inveja a gente tivesse usado a palavra admiração, talvez o resultado fosse outro". Um maior número de pessoas teria citado os seus ídolos como invejáveis. Os fãs não invejam, admiram.

"É isso mesmo, não há nenhuma surpresa no resultado", disse o antropólogo Rubem César, achando que isso reforçaria a "teoria da proximidade": inveja-se quem está perto. Helmut Schoeck dizia quase o mesmo em *L'envie:* "Aquele que a gente chama de *próximo* é sempre um invejoso em potencial, e quanto mais ele está perto, mais sua inveja será intensa e previsível."

Assim sendo, só 17% teriam compreendido o verdadeiro sentido da pergunta, elegendo Xuxa e Ronaldinho como os mais admirados. É uma hipótese.

Cruzadas com os dados da pergunta 4 – as características que provocam inveja –, as conclusões reforçariam a tese de que se inveja mais o sucesso do que o poder. O próprio Sílvio Santos teria obtido 4% não porque detém poder, mas sucesso, porque "aparece" na televisão.

O fato de a preguiça, a ira e a gula aparecerem depois da inveja arrancou um comentário de Cecília, debruçada sobre os números: “Isso aqui, para quem gosta de fazer aquelas matérias sobre caráter do brasileiro, é um prato!”.

Um prato indigesto.

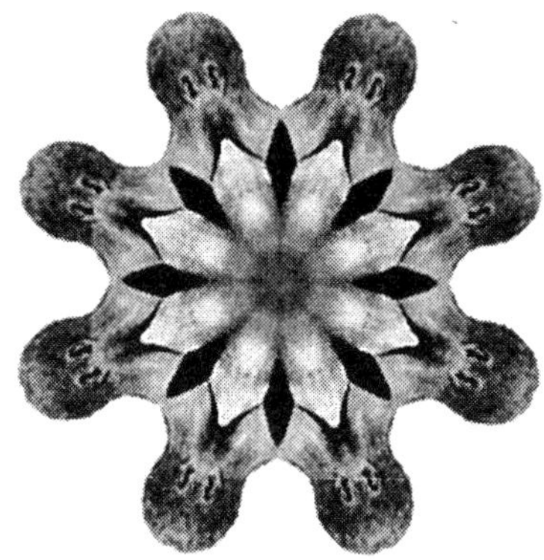

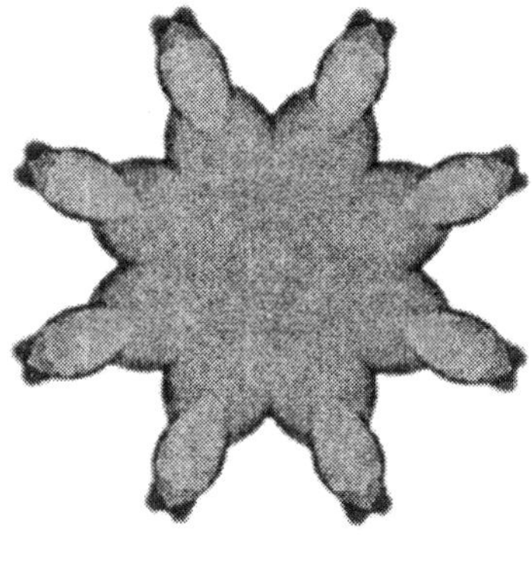

Inviolável

Minha pesquisa particular resultou num fracasso. Foi mais fácil obter respostas das 2.000 pessoas ouvidas pelo Ibope do que do seleto grupo de padres, psicanalistas e mães e pais-de-santo para os quais remetemos questionários. Ou melhor: a dificuldade maior foi mesmo com os padres. As perguntas que mandei para os três grupos eram praticamente as mesmas e seguiram acompanhadas de uma pequena carta em que eu explicava: *"Escolhi esse pecado por ser, na minha opinião, o mais rico deles e, na opinião de uma pesquisa nacional, o mais 'brasileiro'. E é também o mais secreto – aquele que o outro é que tem. O invejoso não gosta de aparecer publicamente, mas talvez se confesse nos divãs dos psicanalistas, nos confessionários dos padres e nos terreiros de umbanda e candomblé."*

Através de doze perguntas, o questionário procurava saber se, no consultório, no confessionário ou no terreiro (conforme o destinatário), a incidência da inveja era maior do que a dos outros pecados, de que forma aparecia, que valores eram mais invejados, a que sentimentos a inveja estava associada, entre outras perguntas.

Só sete sacerdotes, dos 81 aos quais enviamos a carta, concordaram em opinar. Os outros, ou mantiveram um solene silêncio ou deram respostas que variavam de um seco "me recuso a responder" até má-criações do tipo "isso não é coisa que se pergunte".

Alguns, porém, como o reitor da PUC, padre Jesús Hortal Sánchez, me escreveram. Sua resposta estava datada de 18 de agosto de 1997 e, depois de lê-la, fiquei com a orelha ardendo com o puxão.

"(...) Embora a matéria possa ser interessante, fiquei um tanto chocado com o questionário que me foi remetido. Com efeito, ele solicita dados que seriam obtidos através de confessionário. Embora, como é lógico, os penitentes não sejam identificados, qualquer discurso sobre coisas ouvidas na confissão é altamente imprudente e deve ser evitado. A violação direta do segredo da confissão (revelação do pecado e do pecador) está punida com a pena máxima na Igreja: excomunhão automática, reservada à Santa Sé. Mas também está proibido, embora com penas menores, o uso indevido de ciência havida através da confissão, com incômodo para os penitentes. Falar da freqüência de certos pecados e de suas características, em meios perfeitamente identificáveis, pode causar aborrecimento a certos penitentes. Certamente, também provocará escândalo entre os fiéis, que, não sabendo fazer as devidas distinções, ficariam chocados com a fala de quem se apresente como confessor, falando dessas coisas.

Por esses motivos, não responderei seu questionário. A mesma é a posição do Pe. Laércio Dias de Moura, quem me encarregou de transmitir-lha."

Em compensação, um frei dominicano, de quem omito o nome para não lhe causar constrangimento, escreveu no próprio questionário uma resposta engraçada:

" (...) Por mais incrível que pareça, inveja há mais de 20 anos ninguém causa. O pessoal anda p. da vida – de raiva contra tudo e contra todos: governo federal, estadual, municipal, universal. Atinge a raiva todo tipo de opressão. Espero que seu livro sobre a inveja seja um sucesso."

Os dias iam se passando e as respostas não vinham, ou apenas pingavam. Impaciente, liguei para Daniele e ela se propôs a telefonar para cada um dos padres, cobrando uma resposta. O resultado desse trabalho veio na forma de um fax hilário.

"Comecei otimista, achando que poderia conversar com vários num dia só", relatava minha colaboradora. "Mas a maioria estava de retiro ou o telefone estava ocupado. No primeiro dia só consegui falar com dois e nos dias seguintes tive muita dificuldade de encontrá-los."

Daniele recebeu as mais variadas justificativas: uns alegavam que as perguntas "envolviam segredos de confissão", outros as acusavam de serem "comprometedoras" e muitos invocavam o "sigilo" para não responderem.

Resolvi então entrar no circuito e disparei alguns telefonemas, mas sem sucesso. Pensei em me queixar ao bispo, mas desconfiei que D. Eugenio Salles iria dar razão a seus pastores.

Deveria poupar o leitor do relato dos meus fracassos. Mas um caso pelo menos eu gostaria de contar – o do padre José Roberto, 52 anos, da Paróquia da Ressurreição, em Copacabana. Depois de insistir por telefone, consegui que ele me recebesse.

Pessoalmente, tentei mais uma vez convencê-lo a revelar – "em tese", sublinhei – como a inveja aparecia no seu confessionário: se a incidência era maior do que a dos outros pecados, por quem era mais cometida, se por mulher ou homem, rico ou pobre, enfim, as perguntas do meu questionário.

Diante de tanta negativa, acusei-o de estar cometendo "excesso de rigor canônico". Eu recebera uma inestimável ajuda dos psicanalistas, sem que qualquer um tivesse precisado transgredir algum código ético. Houve casos em que, em confiança, o entrevistado me dizia: "Escreve de uma maneira que o paciente não seja identificado."

Padre José Roberto ouviu, falou da diferença entre um padre e um analista e repetiu uma história que lhe foi contada por um antigo mestre, o falecido Cardeal D. Jaime Câmara.

Um dia um jovem padre saiu feliz do confessionário dizendo para os colegas: "Que bom, na minha primeira confissão, atendi uma prostituta que se converteu."

Passaram-se os anos, alguns padres estavam numa roda de conversa, quando chegou uma senhora e apontou para um deles: "Eu fui a primeira pessoa que ele confessou."

Sem querer, o padre revelara o sacramento da confissão.

Quis saber como eles faziam para treinar um confessor, já que ninguém nasce sabendo dar conselhos. A psicanálise simulava situações, usava nomes falsos, de tal maneira que num congresso, por exemplo, os participantes tomavam conhecimento de um caso, sem que houvesse inconfidências. A ciência se beneficiava disso. Os estudos da histeria, das neuroses haviam avançado muito graças a esses recursos.

Padre José Roberto tinha amigos analistas, psicólogos, conhecia, portanto, essas situações. Os padres também estudavam a confissão na prática. "Em sala de aula a gente simula para ver se o outro colega vai saber resolver a situação. Como se eu dissesse 'eu matei' para aquele que estivesse me atendendo."

"Se simulavam...", tentei usar aquele macete de jornalista metido a esperto, "então vamos simular uma situação...". Ele me interrompeu delicadamente com jeito de quem ia dizer: "Pra cima de mim, cara?".

Muitas pessoas ligam para a igreja para saber se falar mal do governo é pecado. "A gente responde que não, nós mesmos falamos mal." E nesses telefonemas, não nas confissões, bem entendido, aparecia muito a inveja?

Ele explicou que às vezes aparecia de maneira equivocada. "Não posso dizer que tenho inveja de uma pessoa que está com um bom trabalho. Isso não é inveja. Eu também queria estar trabalhando. A inveja é quando há um sentido de destruição da outra pessoa, seja no campo moral, seja no campo físico."

"Vemos nos automóveis, as placas com a inscrição: 'a inveja é a arma dos fracos'. (Eu via mais outra placa, mas não disse nada. Não ficava bem eu corrigir: 'não é arma dos fracos, padre, é uma merda'.) Mas a frase mais antiinveja não era nenhuma dessas que aparecem nos carros e sim a de São Paulo, que ele citou a seguir: "Alegrai-vos com os que se alegram e chorai com os que choram."

Dias antes, o meu entrevistado estava celebrando uma missa de um senhor que fazia 94 anos, a que uma senhora que tinha perdido um filho de 17 assistia. "Ela chegou pra mim e disse" ("não foi confissão, foi conversa", ele temia que eu pudesse confundir): "'Padre, o senhor não acha um pouco de injustiça esse senhor durar 94 anos e o meu filho 17?'."

Ele entendia a situação. Seu irmão morrera com 28 anos. "Isso não é inveja, isso é o desejo que uma mãe tem de querer que o filho dure a vida toda."

Formado em Teologia e Arte em Roma, cinéfilo, Padre José Roberto falou também de livros, de pintura e me recomendou dois filmes imperdíveis: *Seven* (que eu já tinha visto) e *Um dia, um gato*, uma parábola em que aparecem os sete pecados capitais, cada um de uma cor. A inveja é roxa.

"É uma parábola lindíssima, polonesa. Um gato entra na cidade e, quando perde os óculos, os defeitos de cada personagem aparecem. Você não pode perder." Não perdi. O filme era o que o Padre disse: "lindíssimo".

Havia uma outra recomendação. Eu devia ler *O pecado de nossa época*, de Karl Menninger. Ele fez uma resenha do livro, que mostra como hoje o sentido do pecado foi diluído.

"A psicologia substituiu o pecado pelo sintoma; a sociologia passou a tratá-lo como irresponsabilidade coletiva; e o direito, como crime. Então, eu chego na penitenciária, o camarada cometeu as maiores atrocidades, diz que infringiu o artigo tal do código tal, e eu, como não conheço, olho para ele, simpático, e digo: 'Tão bonzinho!'."

"Não que não exista o sintoma, existe o sintoma", ele adverte; "não que não exista a irresponsabilidade coletiva, existe; mas não é por isso que deixa de existir o pecado. O pecado não é algo do católico, é algo do homem."

Conversamos também sobre Caim e Abel, mas disso eu já falei mais atrás. Depois dessa entrevista, resolvi mudar de padre – e fui encontrar um bem longe dali.

Exilado da inveja

O Padre me perguntou ao telefone: "Você sabe onde fica o motel La vie en rose?". Eu disse que sim: "Depois vem uma série de outros: Paradis, L'Amour, Saint Moritz, Bariloche, New Star, Plaisir." Quando fui entrevistar o rabino Nilton Bonder, também me haviam dado motéis como referência. Será que no Brasil de hoje o caminho de cada sinagoga ou igreja passa por um ou vários motéis? Será que o pecado é a passagem obrigatória para se chegar a Deus? Mergulhado em pensamentos tão rasos, quase perdi a informação que o Padre me deu a seguir: "Quando aparecer a placa Hospital, você entra. Depois, é só perguntar onde fica a igreja que todo mundo no bairro sabe." Não foi preciso perguntar. À distância, já se via a capela no alto. Sua proposta moderna de arquitetura tinha evocações medievais, como os vitrais. Só que eram de plástico. Várias portas laterais tornavam a nave clara e arejada, o que diminuía um pouco o calor lá dentro.

Ele pedira para eu chegar às 2h30 da tarde porque às 4 tinha que sair para dar confissões. O avião atrasou e eu só cheguei às 3. Me apresentei na secretaria e esperei que a moça me anunciasse por telefone. Da porta vi quando ele veio caminhando com alguma dificuldade. Ao me avistar, abriu um sorriso caloroso.

Não o conhecia pessoalmente, só das fotos que os jornais e revistas publicaram na época, durante os "acontecimentos". Há 30 anos, esse sacerdote havia sido uma celebridade em sua cidade, admirado por jovens, artistas e intelectuais. De repente, fora jogado nas páginas policiais, acusado de ter seduzido uma adolescente.

Revelações infamantes, invasão de privacidade, reportagens nos jornais e na tevê, execração pública, um inferno – até que o próprio autor da denúncia, irmão da moça e ex-padre, retirou a queixa. O verdadeiro sedutor da jovem se apresentara, assumindo a autoria da sedução.

"Você não pode deixar de entrevistá-lo, ele é um exilado da inveja de seus colegas", me diziam. "Ele só não fez uma besteira porque tinha muita fé."

Agora ali, de chinelo, camisa de mangas curtas e calça de brim, o Padre era a imagem abatida do despojamento. Puxava um pouco da perna e se apoiava numa bengala, talvez em conseqüência de algum defeito congênito.

"Seja bem-vindo", me recebeu afetuosamente e foi me conduzindo na direção de onde viera: a sua casa lá no fundo da igreja. Me fez entrar numa sala pequena, modesta, meio entulhada de móveis, mas aconchegante. As paredes estavam cobertas de quadros com temas religiosos.

Parei diante de um Cristo vestido de arlequim, com a testa sangrando pela coroa de espinhos. O contraste entre a roupa carnavalesca e a expressão de dor era forte. Depois da entrevista, o Padre me explicou que o pintor pensara nele ao fazer o quadro.

Sentei-me numa poltrona, ele sentou-se no sofá ao lado e esticou a perna, apoiando o pé numa pequena almofada em cima da mesa. Só então pude perceber que o dedão de seu pé direito estava inchado. Perguntei o que era, mas já sabendo.

"Ácido úrico", ele respondeu, evitando dizer a palavra justa.

"Gota!", exclamei.

Ele ficou meio sem jeito, mas eu disse que sofria do mesmo mal. "Eu, Veríssimo, Casanova e agora o senhor formamos o time dos *gotosos*, os portadores de gota", disse, arrancando-lhe a primeira gargalhada.

Quis saber qual era a medicação que ele estava usando e não acreditei quando informou que não tomava nada, "só chá".

Chamei a freira que ele acabara de me apresentar como responsável pela casa, escrevi alguma coisa num pedaço de papel e entreguei-lhe para que mandasse comprar na farmácia: uma caixa de Colchichina e uma de Ziloric 100.

Ele deveria ingerir um comprimido de Colchichina a cada duas horas e esperar o efeito, que viria na forma de uma diarréia. Depois de superada a crise no dia seguinte, começaria a tomar o Ziloric.

Graças a essa fórmula, eu não tinha uma crise de gota há três anos. "É um tratamento milagroso, padre", eu disse, me dando conta de que aquela afirmação ali soava como heresia.

Apesar da inocência, o Padre fora transferido para aquela longínqua paróquia, onde estava vivendo nos últimos 26 de seus 75 anos.

Ele rejeitava a palavra "exílio" para caracterizar a sua situação. Tecnicamente talvez tivesse razão, pois não era propriamente um castigo o que a hierarquia eclesiástica lhe aplicara, era mais uma proteção.

Achei que seria então *ostracismo*, o costume da Grécia antiga citado em alguns livros sobre inveja. Tratava-se do banimento temporário a que eram submetidos os cidadãos atenienses que se sobressaíam demais.

A diferença é que o ostracismo grego não ultrapassava dez anos, enquanto o dele já durava mais do dobro.

"O senhor se considera uma vítima da chamada *invidia clericalis?*", perguntei. Ele sorriu como se exclamasse "Você tem dúvida!?". E desabafou: "Foi uma loucura o que sofri." O que disse a seguir eu já ouvira antes: "Há pessoas que nascem para despertar inveja."

Com ele foi assim desde o seminário. Primeiro, sofreu perseguição porque, além de música clássica, amava os Beatles e os Rolling Stones; depois, mais tarde, porque resolveu se interessar pelos trabalhos dos novos teólogos. Acusavam-no de liderar um grupo de "profanos e perdidos".

Quando estourou o golpe de 64, ele criou um núcleo de catequese reunindo pais e educadores. "Celebrava uma missa em que me sentava no chão com as crianças, contava histórias de bichos, em vez de só contar histórias da Bíblia, e comparava umas com as outras."

Algumas matérias na imprensa sobre a iniciativa foram suficientes para atrair nova animosidade dos colegas. Some-se a isso a sua participação num grupo de resistência que acolhia perseguidos políticos em casa e ajudava a levá-los para fora do país. "À inveja de meus colegas, se juntou o ódio dos militares."

No seu posto seguinte, o Padre inventou de mudar o horário das missas. "Em vez de ser às 7 da manhã para as beatas, eu rezava na hora do almoço para os empresários. Compareciam banqueiros, executivos, profissionais liberais, empresários."

Passou então a ser muito procurado pela imprensa. Pediam sua opinião sobre tudo: carnaval, Semana Santa, moda, assuntos religiosos e principalmente profanos.

"Isso deu uma ciumeira danada nos outros padres e eu fui mandado para outra paróquia." Só que dessa vez a transferência significou o que ele chama de "uma verdadeira descida aos infernos".

Foi quando resolveu trabalhar com adolescentes. Estava sempre entre os jovens, com os quais saía para beber e comer.

De repente, a bomba. Uma estudante menor de idade desaparecera, talvez seqüestrada, e a polícia encontrara entre seus pertences um bilhete assinado pelo Padre. Ela freqüentava sua igreja.

No dia seguinte, os jornais abriram em título: "Polícia já tem suspeito do seqüestro."

Pressionada por parentes e amigos, entre os quais alguns desafetos do acusado, a garota confirmou para a imprensa que o religioso a tinha seduzido.

Pode-se imaginar o impacto da declaração – até que o próprio namorado da jovem veio a público assumir a autoria da sedução.

A queixa-crime ficou então desmoralizada, foi logo retirada e, em conseqüência, deu-se o processo por encerrado. Mas os estragos na reputação do acusado nunca foram integralmente reparados.

"Foi um horror, um horror", repete o Padre, como se tudo tivesse acabado de acontecer. "Caí em depressão, meus superiores sugeriram que eu me afastasse, ficasse quieto num canto. Arranjei então um analista para cuidar de minha cabeça, que estava pegando fogo." E sumiu da cidade.

Diante dessa vivência dolorosa e de sua experiência pastoral, peço-lhe uma definição de inveja. A resposta é cautelosa. "A base da inveja é a busca do poder: a mais-valia, valer mais. Em qualquer estágio, qualquer lugar que esteja o ser humano, muda só a quantidade de inveja. Só sua cultura é diferente."

Ele concorda com a afirmação de que a ocorrência da inveja é maior entre os pares, entre os iguais. Repito a frase "o rei inveja o rei" e lembro um seu conhecido, o dramaturgo Nelson Rodrigues, que escreveu: "Não há ninguém que abomine mais um autor do que outro autor. Um autor só é solidário com outro autor no velório do concorrente."

O Padre ri e acrescenta que não só os sacerdotes, os reis ou os autores invejam seus pares: "Também o mendigo inveja o mendigo."

Ele dá um exemplo: "Oferecemos aqui uma sopa diária a 500 pessoas. Há um grupo de mendigos que vem tomá-la. Quando um rompe o código lá deles, se sobressai mais, o grupo o expulsa de debaixo do viaduto."

Só então abri a cópia do questionário que enviara a vários confessores e convidei-o a fazer um exercício de simulação. A primeira pergunta era: Como a inveja aparece nas confissões, direta ou indiretamente?

"Ah, de várias formas, talvez mais indiretamente", ele respondeu. "Só as pessoas muito puras expressam diretamente. Dizem pra nós: 'Tenho muita inveja de fulano, preciso me curar.'"

A pergunta seguinte do questionário queria saber que atributos ou valores se invejam mais. "Varia. Por exemplo, atributos físicos como beleza, ideais apolíneos são muito invejados pelas mulheres e pelos jovens."

Já o homem quarentão, "na idade do lobo", segundo ele, deseja muito a sedução. A inveja de valores morais ocorre mais na juventude. "Um jovem íntegro desperta inveja a seus pares."

Por sua vez, a inveja de bens materiais é mais notada no pobre – "quando ele olha um carro bonito, quando vê a pessoa bem vestida, um bom perfume, um bom prato, um homem acompanhado de uma bela mulher."

As perguntas 4 e 5 eram para saber se a inveja ocorria mais entre pobres ou ricos, mulheres ou homens. Em todos os estratos sociais, ele acha. Mas no homem "a inveja é dissimulada, camuflada, camufladíssima, uma loucura. As mulheres são mais diretas, mais limpas. Os homens são invejosíssimos."

E "o que o invejoso mais deseja em relação ao invejado?" era a sexta pergunta, que relacionava os seguintes desejos: de morte, aniquilamento, fracasso e sofrimento.

Segundo ele, o desejo de sofrimento aparece bastante, mas o de fracasso é mais freqüente: "A vontade de que o outro fracasse, caia mortalmente."

De repente, o Padre interrompe a leitura do questionário, pede mais algumas informações sobre minha pesquisa, dá uma boa risada e diz: "Os padres vão ter que ler esse livro!".

Em relação às perguntas 7 e 8, que procuravam saber que sentimentos estão associados à inveja, ele diz que é uma "mistura" de ciúme, cobiça e admiração. "Mas o que a inveja mais desperta é a impotência: ficar passivo, olhando, se corroendo por dentro."

Lembro Santo Tomás de Aquino (*tristitia de alienis bonis*) e ele admite que de fato a tristeza com as coisas boas dos outros "pode ser mortal". Mas o seu comentário mais curioso é o seguinte: "Você já reparou como as pessoas gostam mais da gente quando a gente está triste? A solidariedade na alegria é muito rara. Até os grandes movimentos populares de solidariedade ocorrem mais na hora da tristeza."

Quanto à crença no mau-olhado, o Padre admite estar generalizado no Brasil o uso de amuletos. "Figa, comigo-ninguém-pode, arruda na orelha, olho indiano, carrancas, água benta, imagem de santo poderoso, tudo isso é usado para afastar o mau-olhado. Mas no universo católico usa-se mais a oração."

Ele não tem dúvida em apontar a inveja como pecado nº 1 e concorda com a pesquisa que diz ser este o pecado mais conhecido dos brasileiros. O último item do meu questionário pedia que o entrevistado apontasse a história de inveja que mais o impressionara pela "gravidade ou pelo inusitado".

O Padre não precisou de tempo para responder: "É a minha própria história."

Melanie Klein

A bela e desembaraçada morena sentada à minha frente no bar do Hotel Caesar Park, em Ipanema, bebendo manhattan, tinha pouco a ver com a moça tímida e emburrada de meses atrás. Alguma coisa havia mudado desde a noite em que nós dois viemos sozinhos de carro da Pavuna até a porta desse hotel. Como podia estar tão diferente? Quando Kátia entrou, não a reconheci. Eu já estava ali há uns 40 minutos procurando me distrair com a conversa das outras mesas, todas ocupadas. De repente, apareceu na porta uma jovem vestida com um *blazer* de linho azul-marinho e uma calça *jeans* mais clara. Os cabelos estavam soltos, esvoaçantes, e a segurança com que atravessou o bar e desfilou em minha direção parecia a de alguém acostumada a chamar a atenção. De fato, alguns olhares se voltaram para ela.

Me levantei para recebê-la após aquela entrada triunfal, ganhei dois beijinhos no rosto, os primeiros que me dava, e sentamo-nos.

"Um pouquinho atrasada, né?", disse, mais por dizer do que para se justificar. "Não, imagina. Você marcou às 7 e às 8 já está aqui!" Ela riu e me corrigiu: "Não exagera, são dez para as oito." Em seguida, alegou sem a menor convicção: "É o trânsito." Devia ter lido em algum lugar que se recomenda a uma dama atrasar pelo menos meia hora num primeiro encontro.

Na véspera, Kátia tomara todas as providências. Me telefonou falando em nome de dona Lucinda, escolheu o lugar, marcou a hora e cheia de firmeza estava ali agora pedindo o coquetel: "Pra mim um manhattan." Tirou o *blazer*, ajeitou-o no encosto da cadeira e ficou apenas de camiseta branca, de alça, modelo regata.

Decididamente não era uma aprendiz. Eu fingia achar tudo aquilo muito natural, mas na verdade não me conformava. Aquela moça ou tinha dupla personalidade ou sofrera uma mutação misteriosa.

"Por que você escolheu este bar?", perguntei.

"Porque gosto daqui."

"Você já conhecia, então?"

"Ih, se já! Um dia te conto."

Enquanto a esperava, eu pedira uma prosaica cerveja. Ao se sentar, franziu o nariz em sinal de desdém e olhou com tanta repugnância o que eu estava bebendo, que arranjei logo uma desculpa, como se estivesse cometendo uma transgressão ao bom gosto.

"É que eu tava com muita sede", me desculpei sem jeito.

"E por que não pediu água?", provocou. Seu risinho mordaz aumentou o meu constrangimento e me irritou. Pelo visto gostava também de fazer graça.

Parado ao lado, impassível, o garçom certamente se divertia em silêncio com o embaraço daquele coroa com cara de *coronel* e a petulância daquela gata com jeito de *contrabando*.

Afinal, eu ia ou não ia querer outra cerveja?, ele parecia perguntar sem precisar dizer nada. Anotou o pedido dela e ficou esperando o meu. E eu ali, indeciso. Devo ter ficado vermelho.

Sempre me atrapalhei em situações como essa. Nunca sei o que pedir.

Foi nesse momento que me libertei do constrangimento com uma brilhante idéia. Lembrei do livro americano que estava lendo, *Obrigado por fumar*, muito debochado, em que um personagem vivia bebendo um certo drinque. Não conhecia antes, nunca ouvira falar dele, mas num estalo me ocorreu o nome: "negrone".

Olhei para o garçom, esperei que ele preparasse o lápis, o bloquinho e, de propósito, fiquei alguns segundos em silêncio, como se a demora se devesse à suspeita de que o meu pedido, de original, fosse complicar a vida dele:

"Você me prepara um negrone?"

Fez uma reverência para dizer que sim e sorrimos civilizadamente um para o outro. Mas Kátia, pelo menos, jamais ouvira o nome daquela bebida, eu era capaz de apostar. Estava vingado. Isso me deixou mais solto.

"Engraçado", resolvi implicar, "nunca vi você bebendo na casa de dona Lucinda."

"Pois é, lá eu tomo coca-cola, mas aqui só bebo álcool. Algum problema?", perguntou. Não respondi, ela estava muito insolente. Tirou então um isqueiro dourado da bolsa e pegou o maço de cigarro Hollywood *light*. "Estou doida pra fumar, posso?", quis saber, observando em volta para se certificar de que havia mais gente fumando.

Não esperou minha resposta, acendeu o cigarro, deu uma tragada e foi direto ao tema: "Quer dizer que você quer contar minha história?".

Sem demonstrar muito interesse, balancei a cabeça, concordando. "Mas se for realmente boa", fiz a ressalva. "História de inveja há muitas."

Minha estratégia, depois das dificuldades iniciais, era fingir pouco caso. Como jornalista, sempre me fascinou a dificuldade que as pessoas têm de guardar segredo, ou a compulsão de fazer revelações. Quando um entrevistado diz "mas tem uma coisa que eu não posso revelar", isso já é o começo da revelação. Basta fingir que não ouviu ou demonstrar desinteresse pelo que foi dito.

Pode demorar, mas ele acaba voltando ao assunto: "Não posso mesmo!", repete e espera sua reação. Aí vale a pena dizer: "Mas será tão importante assim?". A capitulação vem antecedida da condição: "Mas só se você me prometer que...".

Kátia estava mais ou menos nesse ponto. "Pois acho que não tem história melhor do que a minha", desafiou. "Será?", duvidei. "Tem de tudo: ciúme, inveja, paixão...", não continuou. Fez uma pausa e mudou de tom. "Quero saber o que que eu ganho com isso."

Pensei que estivesse sugerindo algum pagamento e comecei a devolver a pergunta – "Você não está querendo..."– ela não me deixou terminar: "Você não entendeu; eu quero dizer que não vejo vantagem em contar."

Fui franco e concordei que de fato ela não ganharia nada, a não ser o prazer de contar uma boa história. Levara algum tempo para conquistar sua confiança. Depois de nossa apresentação, voltei ao Centro, e pelo menos umas duas vezes me encontrei com ela.

Essas conversas, das quais participavam sempre dona Lucinda e de vez em quando Rivaldo, quebraram aquele gelo inicial, acabando por nos aproximar. A mãe-de-santo animava a roda, contando histórias e fazendo rir. No final das contas, a velha era engraçada. Mas em nenhum daqueles encontros Kátia se mostrou tão desinibida e despachada quanto agora.

Nessa noite falou sem parar. Parecia querer botar tudo para fora ali. Repetiu o que a mãe-de-santo já me contara e, em algumas partes, se deu a liberdade de entrar em detalhes, como no caso de suas relações com os dois amigos. Como eu já esperava, evitou obviamente os aspectos supostamente mais escabrosos da história, como a morte de Fernando. Mas quanto ao resto, nenhum pudor.

Apesar de se conhecerem desde crianças, ela contou, foi na noite de sua coroação como Rainha da Primavera que os dois rapazes prestaram atenção na "menina que de repente virou mulher", como diziam. Nessa época, os amigos já estavam morando fora há uns dez anos, mas eventualmente freqüentavam as festas e programas de seus colegas de infância e adolescência.

O primeiro a se instalar na Barra da Tijuca foi Fernando. Arranjou um emprego numa construtora e no ano seguinte levou o amigo. Em menos de uma década, montou uma empresa imobiliária, diversificou seus negócios e em 1996, ao morrer, tinha sociedade ou participação em motéis, revendedoras de automóveis, loja de material de construção, entre outras coisas. "E Ivan sempre pegando carona em tudo", acrescentou Kátia.

"Eles eram muito bonitos e minhas colegas viviam de olho nos dois. Por isso, quando me convidaram para sentar na sua mesa, fiz um certo doce, mas só não corri pra pegar o lugar porque não queria pagar mico."

Havia um ritual que ela realizava como se estivesse numa cerimônia de encantamento. Tinha feito isso durante a viagem da Pavuna, mas eu não pude observar direito, como agora.

Com a mão esquerda prendia os cabelos e com a direita enrolava-os como se quisesse fazer uma corda; puxava-os então para o alto da cabeça, um pouco para trás. Mantinha-os seguros e dava um nó provisório. De repente, como o coque não era preso por travessa, o nó se desfazia e a cabeleira desabava, voltando ao normal.

A operação começava e recomeçava várias vezes, deixando claro que o objetivo não era prender o cabelo, mas a atenção do observador.

"Você sabe com quem eu fui para a cama aquela noite?", ela perguntou, me surpreendendo duplamente: pela pergunta em si e por uma certa intimidade com que estava me tratando, sem que eu a tivesse dado.

Respondi com a cabeça que não. Ela ainda insistiu com um olhar e um riso atrevido, mas procurei mostrar que todo o meu interesse se concentrava no gelo do negrone que eu continuava mexendo com o dedo.

"Eu podia ter ido com os dois", disse, posando sua mão na minha assim meio que por acaso. Inclinou o corpo sobre a mesa, para se aproximar de mim, e com voz baixa e pausada achou que devia esclarecer: "Não com os dois ao mesmo tempo. O que eu quis dizer é que tanto fazia um como o outro. Só me apaixonei pelo Fernando depois."

Parou, esperando algum comentário, e fez um sinal para o garçom pedindo o que já seria o terceiro ou quarto reforço de sua dose de manhattan.

Dois gringos sentados na mesa ao lado olharam distraídos, mas quando viram aquele braço moreno, nu, apontado para o alto, resolveram percorrê-lo com o olhar de cima abaixo.

Me diverti com a cena. Sentindo-se observada pelos nossos vizinhos de mesa, Kátia resolveu manter a posição. Viraria uma estátua se eu não tivesse estragado a cena: "Pode baixar", sugeri, "todo mundo já viu."

Eu andava lendo Melanie Klein e diante dos olhares estrangeiros voltados para aquele par de saliências arrogantes que ameaçavam furar o tecido frágil da camiseta, me lembrei do que ela escrevera: que o seio é "o primeiro objeto a ser invejado pela criança".

Era uma boa explicação para a mais antiga fixação masculina. Terá sido observando uma cena assim que ela descobriu que o homem se ressente da falta do seio tanto quanto a mulher da falta do pênis? Ou não foi ela quem disse isso?

"Você tá me ouvindo?", disse Kátia, e eu me senti flagrado. Tive que mentir: "Claro, claro, eu tava pensando." Expliquei que acabava de me lembrar do que tinha lido aquele dia: que "os ataques sádicos contra o seio materno nascem das pulsões destrutivas".

"Ah, bem", ela disse, gozando minha desculpa e debochando do que eu havia decorado sem entender muito bem o que significava.

A ambigüidade, um certo ar misterioso, talvez fosse a chave da sensualidade de Kátia. Dependendo do ângulo, podia ter 17 ou 30 anos. E sabia se comportar tão bem de um jeito quanto de outro.

Havia ângulos e expressões que podiam ressaltar, ou disfarçar, essa beleza meio cambiante. Por exemplo, sem pintura ela ficava melhor, por causa do desenho forte e das linhas bem marcadas do rosto.

Às 10 horas eu disse "Bom..." e Kátia percebeu nisso um sinal de que devíamos nos retirar. Pediu licença, levantou-se e tudo indicava que teria ido ao banheiro. Enquanto a esperava, fiz um gesto para o garçom pedindo a conta, que pelo jeito ia ser alta.

Kátia demorou e, na volta do banheiro, quando estava vestindo o *blazer*, me ofereci para levá-la em casa – sem muita convicção. "De maneira nenhuma", ela disse, e eu por dentro dei graças a Deus. Ir até a Barra aquela hora!

Comecei a me impacientar porque a conta não vinha. Chamei o garçom com a mão, reclamei e ele se aproximou. Olhando significativamente para minha acompanhante, deu um sorriso e informou que a conta já tinha sido paga.

Era a surpresa que faltava. Não bastavam todas as que a noite me tinha oferecido. Quando ensaiei um protesto, Kátia propôs: "Vamos fazer o seguinte: na próxima semana a gente volta aqui e você paga, tá bem?". Era quarta-feira e resolvemos marcar para a terça seguinte, no mesmo horário, quando os dois podiam. Kátia tinha dentista de novo e ia sair cedo do trabalho.

Na portaria do hotel, ela chamou um táxi e, já embarcando, jogou um beijo: "Pode deixar que vou chegar na hora."

Fala, divã

Talvez porque eu nunca tivesse feito análise, sempre dediquei aos psicanalistas uma ampla e gratuita má vontade – esses enxeridos que arrancam confissões, que vasculham a alma das pessoas, que satisfazem todo o seu *voyeurismo* e ainda cobram por isso. Como se os jornalistas fossem o oposto disso. Agora, escrevendo o livro, descobri o quanto aprendi com eles, os enxeridos, sobre ela, a inveja. Sem eles não teria chegado até aqui – sem Freud, sem Melanie Klein, sem Joseph Berke –, mas também não sem os que a vivenciaram na clínica, mesmo quando não escreveram sobre ela. Os psicanalistas foram também os que mais colaboraram com minha pesquisa. Cinqüenta e sete deles responderam ao questionário, uma amostragem considerada razoável, tendo em vista o espectro não muito amplo do universo pesquisado.

Quase 50% dos entrevistados consideraram que a incidência da inveja nos seus consultórios era maior do que a dos outros pecados, e 45% declararam que era igual. Nenhum considerou menor.

As respostas dos psicanalistas coincidiam em geral com as tendências observadas pelo Ibope: a inveja é o pecado mais conhecido, é um sentimento que se manifesta de forma indireta, que independe de classe social e que ataca igualmente o homem e a mulher (80% acharam que não há nenhuma diferença). Além disso, a crença no mau-olhado se manifesta mais pelo uso de amuletos e o que o invejoso mais deseja que aconteça com o invejado é o fracasso.

O questionário terminava solicitando a história de inveja que mais impressionara o entrevistado, pela gravidade ou pelo inusitado.

Um analista contou o caso de uma mulher que foi "largada" no altar e desde essa época, dois ou três anos atrás, procurou se relacionar com mulheres que pudessem atrair seu ex-namorado e sofressem o que ela sofreu. "A inveja dirigiu sua energia para a vingança."

Uma outra paciente, por ser branca, considerava o seu cabelo "ruim", parecido com o de uma negra. "Por causa disso, criou um delírio em que culpava a mãe, cujo cabelo era 'bom', de ter roubado o dela, deixando-o dentro do útero quando do seu nascimento (da paciente). Com este inconformismo irredutível ao longo de sua vida, esta se tornou um fracasso lamentável."

Outros casos não chegavam a constituir histórias. A jovem que morria de inveja do nome da amiga que era o de um prenome de flor. O rapaz que invejava os dentes caninos do irmão. A mulher que não podia suportar os dedos tão bem-feitos dos pés do marido. Filhos invejando pais e vice-versa. O homem rico que invejava os mendigos porque eles conseguiam se reunir, conversar uns com os outros, enquanto ele, apesar da fortuna, não conseguia ter mulher, filhos, amigos.

Uma analista lembrou-se de uma paciente, psicóloga, que não suportou o que considerava "'meus dotes e competência'; eu 'devia ganhar muito' – ao passo que ela, apesar de já quarentona, não clinicava e não dispunha de dinheiro próprio para custear as sessões. Pagava por 5 sessões semanais algo simbólico como menos de um salário mínimo. Após alguns meses (7 ou 8), tendo passado da absoluta idealização ao franco ataque, desqualificação, desconfiança (procurava seitas, terreiros etc.), interrompeu o tratamento."

A analista terminava o seu relato com o comentário de que era uma "historinha até bem comum no métier".

"O caso que mais me impressionou", contou um psicanalista, "foi o de um jovem que, pela ação constante da inveja, não conseguiu desenvolver e realizar suas excepcionais dotações – intelectuais e artísticas – tornando sua vida um dramático exemplo de desperdício, sofrimento e frustração. Este é o aspecto trágico da inveja: o ataque a si mesmo."

Houve profissionais que se deram ao trabalho de, além de responderem às perguntas, acrescentarem comentários e sugestões. A psicanalista Norma Costa, por exemplo, fez críticas ao questionário – "do ponto de vista psicanalítico, equivocado" – e anexou a tradução de um ensaio publicado em 1986 no *Psychoanalytic Psychoterapy 2*: "A inveja na vida cotidiana", da analista inglesa Beth Joseph.

O artigo começava por estranhar que só depois de 1957, quando Melanie Klein publicou seu clássico *Inveja e gratidão*, é que a psicanálise passou a discutir mais amplamente o significado da inveja. Enquanto isso, o ciúme já estava na literatura analítica há muitos anos, e não por acaso. "O ciúme está baseado em amor ou afeição por uma pessoa."

O que preocupava a Dra. Beth Joseph não era tanto a inveja que todo mundo de alguma maneira sente, mas os casos em que o sentimento não deixa que se encontre "nada a elogiar ou a valorizar em outro indivíduo e só acha dúvidas: 'bem, estava bom, mas'".

Entre as formas de manifestação invejosa, o ensaio se detinha na "provocação", que ocorre quando alguém inveja, por exemplo, "a tranqüilidade e a paz de espírito de outra pessoa e se põe a cutucá-la até que ela perca a calma".

Um paciente da autora ilustrava o tipo de invejoso que se recusa inclusive a receber ajuda, para não ter que expressar seu reconhecimento. E há até os que não querem escutar o que se tem para dizer. "Não conseguem tolerar ouvir coisas divertidas dos outros."

Para fugir desses sofrimentos, os invejosos desenvolvem vários sistemas de defesas. Um deles é a idealização ou supervalorização do invejado, que passa a ser visto como extraordinário, inalcançável. Isso afasta a inveja. "A distância entre a outra pessoa e si próprio fica tão grande", escreveu a autora, "que aparentemente nenhuma comparação é possível." E sem comparação e sem proximidade, como já se viu em outra parte desse livro, a inveja é mais difícil.

Beth deu o nome de "masoquismo aplacador e lisonjeiro" ao tipo de defesa em que a pessoa se apresenta humilde e desvalorizada, assim como se dissesse "quem sou eu?". O recurso não funciona porque "tende a tornar o indivíduo ou muito hipócrita ou mais deprimido, sentindo-se sem valor e sem esperança".

Finalmente, depois de mostrar como a "dor da inveja" pode ser forte se não for "suficientemente mitigada pelo amor", Beth Joseph propõe contrabalançar a rivalidade e a inveja com "afeto e amor disponíveis, capacidade de sentir calor humano e gratidão".

A psicanalista Lilian Krakowski Chazan também relacionou suas observações:

1. "Há que se distinguir a inveja que é consciente, admitida pelo sujeito, da inveja que existe e da qual o próprio invejoso não se dá conta conscientemente. (...) Todos nós, evidentemente, carregamos um tanto dela dentro de nós. O problema não é a existência em si da inveja no indivíduo, e sim o quanto ela é prevalente e/ou ativa na vida do sujeito."

2. "O verdadeiro invejoso está mais preocupado em que o invejado *não* tenha nada, do que com qualquer outra coisa."

3. "O que sei, da prática de alguns anos, é que na relação transferencial analisando-analista inveja-se com enorme freqüência o equilíbrio mental do analista (o que o indivíduo *supõe* que o analista tenha)."

4. "A inveja é universal. Encontram-se pessoas de caráter invejoso em todas as classes sociais."

5. "Num consultório psicanalítico pode-se estar lidando com uma amostragem viciada, posto que só se submete a uma análise quem de uma forma ou de outra se sente adoecido e/ou precisando de ajuda. É um pouco como se você perguntasse a um cardiologista qual a percentagem de pacientes fumantes e estressados em sua clínica. Talvez eu esteja exagerando um pouco. Mas o problema em si da inveja é muito sério, e terrivelmente difícil de se lidar."

Se era assim um "problema terrivelmente difícil de se lidar", o que eu deveria fazer?

Pensei, pensei e achei que devia procurar um psicanalista.

A cachoeira

Não nos víamos há tanto tempo que para reencontrá-lo tive de recorrer à lista telefônica, procurando nome por nome na página de "Ferreira", coluna "J. Batista". Assim consegui o número da residência, onde me deram o do consultório. Ele não demorou muito a retornar a ligação. Expliquei a razão do telefonema. Queria "um pouco de suas luzes" como psicanalista e ex-sacerdote. Marcamos então para dois dias depois, uma terça-feira, no consultório. Eu estava curioso. A última vez que nos encontramos fora há dez anos, quando preparava um livro sobre 1968, do qual João Batista Ferreira foi um personagem marcante: era o destemido padre em quem os estudantes confiavam. Era o protótipo do "padre de passeata", que tanto irritava o reacionário Nelson Rodrigues.

Cheguei na hora combinada ao prédio no Leblon, mas a sala do quinto andar estava fechada. Toquei a campainha e ninguém respondeu. Ele não havia chegado. Será que tinha esquecido? Esperei uns dez minutos.

Senti uma pontada de emoção quando o vi chegando, o corpo ainda magro, os passos rápidos, os cabelos grisalhos com mais alguns fios brancos, mas um rosto que não aparentava os quase 60 anos que devia ter. O sorriso era o mesmo: doce e envolvente. Nos abraçamos.

"Sei o quanto vale a sua hora e prometo não demorar", eu disse, mas ele me tranqüilizou:

"Temos duas horas, está bom?"

Estava ótimo, pelo menos para um primeiro encontro. João Batista era a pessoa ideal para me ajudar neste trabalho. Poucos reuniam a dupla experiência de saber como a inveja se apresentava no confessionário e no divã. Entre um e outro ele passara a maior parte de sua vida. Durante seis anos fora padre e há duas décadas exercia a psicanálise.

Sentei-me no sofá e ele, na cadeira em frente. Não pude deixar de notar a posição invertida. O sofá no qual eu me sentara era na verdade o "divã". O analista ia falar e eu ia escutar, sentado no lugar de onde geralmente os pacientes falam. Na parede, um quadro impressionante de Freud, em preto-e-branco, parecendo de massa e não de tinta (em outro encontro, fiquei sabendo que o quadro fora feito por sua filha Fernanda, aos 15 anos, em dez minutos, sem pincel, com os dedos, diretamente sobre a tela).

João Batista havia dito pelo telefone que eu não esperasse "nada teórico"; iria falar de sua experiência. Era isso o que eu esperava. De teoria e conceitos estava cheio.

Mal liguei o gravador, ele foi garantindo que a inveja deveria ser o primeiro pecado capital, pois estava no "nascedouro da criação". Estaria na própria queda. "O que é a queda?", perguntou, para ele mesmo responder. "É a cobiça do homem para se tornar Deus."

Tentei pegá-lo pelo pé. Se era assim, então o primeiro pecado capital deveria ser, segundo seu critério, a cobiça e não a inveja. "Ele cobiçou porque invejou antes", João Batista replicou. "Ao homem não faltava nada, a não ser o conhecimento do bem e do mal, privilégio de Deus."

"O homem corre o risco de perder o paraíso, mas vai atrás da sabedoria, desse saber e desse sabor." Machado de Assis escrevera coisa parecida no seu romance *Esaú e Jacó:* "Não há paraíso que valha o gosto da oposição." Mas foi com outra observação que eu o interrompi:

"Você acha que Lúcifer pode ser considerado o exemplo fundador da inveja?"

"Pode. E se colocássemos em termos cronológicos, Lúcifer antecede a criação. O episódio da rebelião dos anjos é anterior à criação. Ele se rebela porque quer ser igual ao Arcanjo Gabriel, quer ficar do lado de Deus, não é isso?"

João Batista fala temperando a ênfase com o humor. Gesticula, se exalta e costuma rir do que fala, como agora: "Se bobeasse, Deus seria derrubado. Por isso é que ele mandou Lúcifer para as trevas. Lúcifer queria ser o próprio Deus. E a base da inveja é justamente essa: eu quero ser você. Não me aceito como sou, eu preciso ser você."

Naquele ambiente de *escuta* em que por hábito profissional ele se habituara a ser todo ouvidos, o psicanalista estava animado pelo simples ato de falar. A sua exuberância e inteligência, o seu jeito mineiro de falar faziam lembrar um amigo comum, o psicanalista Hélio Pellegrino, ídolo de nós dois.

Quando quis saber se aceitava a idéia de que Caim, por inveja, cometera o primeiro assassinato da humanidade, ele concordou, mas reivindicou outra prioridade para os irmãos rivais – a de serem os primeiros filhos da criação, o ponto de onde tudo começou. "Adão e Eva não são filhos da criação. Eles são produto de Deus, que vão gerar a humanidade. Os primeiros rebentos, os cabeças, esses, sim, são Caim e Abel."

João Batista não fez nenhuma cerimônia para criticar o Senhor, com quem manteve relações amistosas durante tanto tempo.

Acha que ele foi muito severo com um irmão e indulgente com o outro. "Abel vem com o seu cordeirinho branquinho, o melhor do rebanho dele. Caim vem com o que sua agricultura tinha de melhor: uva, maçã e pêra. Os dois construíram os altares, os dois eram filhos de Deus, filhos de Adão e Eva. Javé discriminou; olhou para o sacrifício de Abel com uma benevolência extraordinária."

"Coisa que a gente tem o maior cuidado em não fazer com nossos filhos", ousei dizer.

"Pois é, podia muito bem ter dado uma nota oito pro Caim. Um tira dez e o outro tira zero! Ah, não, foi covardia!"

"A verdade é que Javé estimulou a inveja", acusou, chamando a atenção para o fato de Caim ter sido um radical, provavelmente o primeiro. "Por não suportar ver o privilégio de Abel, ele radicaliza sua inveja no sentido mais genuíno da inveja, que é destruir o outro. Ele não metaforiza, não usa o sentido figurado."

Caim poderia fazer o que o invejoso em geral faz: "levantar uma calúnia, discriminá-lo. Mas ele adota um comportamento mais aberto, prefere liqüidá-lo".

Para os que acham que com a destruição alguém se livra da inveja, o ex-padre lembra a culpa insuportável que há "naquela marca fantástica e metafórica que Caim traz no rosto – a marca de ter matado Abel".

Me ocorre uma hipótese meio absurda e eu passo para ele: "E se o Senhor tivesse ficado satisfeito com o presente de Caim, será que a história seria a mesma?".

João Batista tem dúvidas. "O crime talvez não tivesse acontecido na aurora da história. Javé teria adiado, apenas adiado. Mas iria acontecer: é próprio do ser humano. Os filhos de Caim e Abel provavelmente aprontariam uma."

Como eu não estava disposto a desvendar um crime ocorrido há tanto tempo, trouxe o meu interlocutor para a Terra, perguntando-lhe o que leva um invejoso ao confessionário e ao divã.

"O sujeito vai ao confessionário pedir penitência", ele explicou. "Ao exorcizar a culpa, ele acredita que ela acabou, já que está abençoado e conseqüentemente exorcizado de seu pecado."

"E a psicanálise", questiono, "o que é capaz de fazer com o invejoso?"

"Na psicanálise, pode-se levar o sujeito a transformar essa energia numa energia produtiva. Se você a canaliza para si, ela é extraordinariamente criativa." João Batista se entusiasma e passa então a traçar o perfil de um invejoso, não como uma abstração, mas como se fosse a síntese de muitos pacientes.

"O invejoso torce para que você, ao tirar sua ária no violino, arrebente uma das cordas. Ele é mesquinho. Ele não suporta o seu sucesso. Eu não quero que você tenha uma síncope, caia e morra. Eu quero é o seu fiasco. Quero que a turma ria de você. Quero que alguma coisa atrapalhe. E se puder tecer algo sem que se perceba, ele faz. O invejoso tem muito isso: a carta anônima, o trote, a provazinha de batom, a pista."

Pergunto se já não está presente aí o medo da competição, uma das características da inveja.

"Exatamente. Caim não acredita que possa oferecer um sacrifício tão bonito a Javé quanto o de Abel. A psicanálise tenta trabalhar esse lado. Você pode. A energia que mora em você é sua, transforme-a em geradora de luz. Imagine o que a atividade terapêutica pode fazer elaborando isso e canalizando no sentido da produção. Que maravilha esse sujeito não pode vir a ser. A inveja, pecado capital, torna-se assim a rainha das virtudes."

Contei ao psicanalista alguns papos que tivera com umbandistas e a impressão de que a psicanálise realiza no nível científico o que no plano mítico a umbanda também faz, através de "transferências", símbolos edificantes, energia e luz. A minha hipótese era de que o sucesso dessas religiões, seitas e movimentos se devia ao fato de que acenam para o povo não com a cura, mas com a proteção. Não falei nada, preferi perguntar se a macumba era uma espécie de psicanálise dos pobres.

Ele concorda, desde que se levem em consideração as diferenças. "Na umbanda, tudo se dá através de entidades, de uma força fora de você, de fluidos que circulam em torno de sua cabeça. No divã é através de sua própria energia, não através de despachos que atraiam espíritos a seu favor."

Para demonstrar a força dessa energia, João Batista recorre a uma comparação. "A Cachoeira de Paulo Afonso provoca erosões, arrebenta hectares de terra, mas bem canalizada ilumina todo o Nordeste. A inveja é essa cachoeira que não suporta ver os campos floridos, mas que, domada, ilumina, transforma o sertão num grande dia."

"Quer dizer então que a inveja tem cura?"

"Tem cura. Toda força do ser humano tem o sinal positivo e o negativo. Eros e Tanatos. A vida carrega a morte. A grande sabedoria está em tirar de nossa energia o máximo de produtividade possível. Porque a inveja é inata, é um sentimento inato, se não em termos genéticos e cromossomiais, pelo menos no sentido usado por Melanie Klein: você nasce e já começa a lidar com a porfia, com a competição, e esse é o berço inaugural da inveja. É ótimo que vejamos na descrição da criação a inveja presente. O mito de Caim e Abel é o testemunho de que a inveja de fato está no coração do homem."

"Você está falando em Melanie Klein, em coração do homem e eu estou pensando em seio, relação com a mãe, essas coisas que ela descobriu."

"Pois é. É interessante essa primeira relação. De um lado a criança tem adoração pela mãe, que é seu continente. A mãe é o seio, em linguagem kleiniana. Ao mesmo tempo que precisa, que se confunde com essa mãe, tem ódio, porque, se essa mãe lhe subtrai o seio, pode matá-la de fome. São energias de aglutinação e rechaço; tanto aproximam quanto afastam. E quando a criança toma consciência de que ela é uma coisa e a mãe outra, a inveja se manifesta claramente. Ou ela quer ser a mãe ou quer ser mais do que a mãe, não suporta as frustrações que a mãe lhe causa. É um jogo muito dramático nesse começo de vida."

"Dizem que a inveja é uma característica mais feminina, é verdade?"

"Não é verdade. A mulher talvez explicite mais, talvez não consiga reprimir – reprime outras coisas, mas a inveja não tanto. Muito facilmente mostra como está insegura com as suas virtudes e passa a ver nos outros, em especial na outra, coisas que ela não tem e que abomina ver no próximo. Aí, fala mal, calunia, trai, dá um jeitinho de ficar justo com o namorado da outra, não porque o eleja para si, mas porque não quer que ele fique com a outra. É um jogo muito curioso."

"Isso se manifesta no divã?"

"Muito claramente. Ou melhor, ela não diz claramente que é invejosa, mas conta toda uma história onde está presente a inveja. Outra coisa que noto no meu trabalho é que as mães têm muito mais inveja de suas filhas do que os pais de seus filhos. A inveja das mães começa quando as filhas têm por volta de 16, 18 anos. Querem o namorado das filhas, disputam, tramam. A filha diminui o comprimento da saia, a mãe põe a sua da mesma altura, passa a usar o mesmo batom, a pintar a unha de roxo, a se vestir igual. E há aqueles casos em que a mãe transa com o namorado da filha."

"Não pode ser só competição?"

"A meu ver, parece mais inveja do que competição, emulação ou porfia."

Já no homem, como explica o psicanalista, a inveja é mais disfarçada, embora presente nele o tempo todo: na relação profissional, nas disputas, nos conflitos. O disfarce não seria por orgulho, para não demonstrar fraqueza diante do outro?

"É verdade. Mas como a psicanálise lida essencialmente com a transferência, tudo é transferido, o analista atento percebe o fenômeno. Há muita manifestação de inveja nesse próprio diálogo. Como o analista detém um suposto saber, o paciente precisa pegá-lo em erro, ainda que seja um erro gramatical. Ou então paga menos, ou faz o cheque errado, ou dá um jeitinho para que o cheque seja devolvido, enfim há uma série de manifestações que revelam a inveja por um outro viés."

Depois da entrevista com João Batista, achei que devia procurar uma mãe-de-santo para falar com competência de seu ofício, ainda mais que as respostas aos questionários tinham sido muito pouco representativas. Por vários motivos, inclusive por má compreensão das perguntas, apenas 24 mães e pais-de-santo responderam às perguntas, confirmando em geral a opinião dos psicanalistas. Setenta por cento informavam que a inveja se apresentava de forma indireta em seus terreiros e mais de 90% consideravam que ela atacava indiferentemente o homem ou a mulher. Também o fracasso era o que o invejoso mais desejava.

Quando pudesse, iria baixar de novo num terreiro.

O plano

Às 7h10 de terça-feira, quando voltei ao bar do Caesar Park, Kátia já estava sentada diante de seu manhattan. Levantou-se para me receber com um beijo e só então reparei que em lugar dos lindos pêlos lisos e compridos havia sobre a cabeça pontas de cabelos espetados para cima, como se alguém os tivesse picotado e esquecido de penteá-los. Resolvera adotar o penteado *punk*, mas o que lhe caía melhor era aquela camisa branca transparente de linho. Nenhuma queixa contra a camiseta, ao contrário, mas essa era menos óbvia, mais velada. "Vó Lucinda mandou um abraço pra você", disse, tirando da bolsa pendurada no encosto da cadeira sua tralha de sempre – celular, isqueiro e cigarro. "Por falar nisso", e acendeu o cigarro, "você vai lá no terreiro só por causa do livro ou porque também acredita em umbanda?"

Respondi que não acreditava, mas respeitava. "Ih, então vai ser difícil", exclamou, aparentando decepção. "Você não vai entender a minha história."

Expliquei que uma coisa nada tinha a ver com a outra. "Mesmo sem entender, posso ser fiel ao que você me contar."

Vi que não tinha gostado. Deu uma daquelas tragadas de quase perder o fôlego e deixou o olhar vagar sem rumo. Esqueci de dizer que às vezes ela tinha essas "ausências" – se desligava e viajava. Resolvi trazê-la de volta à conversa. "Por falar nisso", agora, eu é que ia perguntar, "por que você ficou tão emburrada durante aquela viagem que fizemos sozinhos?"

"Porque eu tava com saudade do Fernando. E também porque já apanhei muito e passei a me defender", ela respondeu como se esperasse a pergunta. "Aprendi que quem chega perto de mim, chega sempre pra conseguir alguma coisa, chega por interesse."

"Inclusive eu", me senti na obrigação de dizer. Ela sorriu e, com malícia, sublinhou a última palavra: "Pelo menos o seu interesse é a inveja, espero."

"E o do Rivaldo, qual é?", me atrevi. Ela não se perturbou: "Pergunta a ele."

Tranqüilizei-a. "O que eu quero é usar sua história no livro. Dona Lucinda já me contou, mas quero ouvir de você."

"O que que ela contou?"

"Tudo e mais alguma coisa."

"O que, por exemplo?"

"Por exemplo: que Fernando foi eliminado."

Seu rosto se transformou e eu tive uma ligeira mostra de como ela seria com raiva. "É mentira", levantou a voz. "Vó Lucinda não pode ter contado uma coisa dessa."

Me arrependi de ter blefado. Pedi-lhe calma e tentei convencê-la de que estava brincando.

"Vamos fazer um trato", propus. "Vou contar o que sei e você vai corrigir o que não estiver certo, tá ok?"

Amarrou um pouco a cara, mas logo depois fez um gesto de desafio. Levantou o queixo, empinou o nariz e disse: "Aceito."

Expus em resumo o que já sabia.

Aos 18 anos, ela se apaixonara por Fernando. "Aos 17", corrigiu. A relação era um pouco confusa, ela amava Fernando mas às vezes dava bola para Ivan. "Quando me interessava", ela interrompeu, "só para fazer ciúme."

Sugeri que esperasse eu acabar para dar sua versão. Repeti o que ninguém ignorava, que os amigos tinham uma inveja terrível um do outro... "Última vez, prometo", levantou o dedo como se estivesse pedindo tempo, "mas não posso deixar passar: quem tinha inveja era o Ivan. O Fernando era a vítima, não sei quem pode ter dito o contrário."

Percebi que ela estava doida para falar e apressei o meu resumo. "Fernando comprou ou alugou um apartamento para você" – "Comprou", ela corrigiu rapidamente – "te levou para trabalhar no escritório que eles tinham na Barra, fez de você uma jovem dama, prometeu casamento, mas de repente te deu um chute. Você se desesperou, pensou em fazer tudo o que uma mulher rejeitada pensa em fazer – matar os dois amantes, suicidar-se – e concebeu um plano de vingança junto com dona Lucinda." Por coincidência, em novembro de 96, Fernando morria misteriosamente.

"Não é nada disso", me contradisse bastante nervosa. Tentou acender o isqueiro e não conseguiu. Tremia um pouco. Finalmente acendeu e fez um gesto para o garçom pedindo uma nova dose.

"Não é que esteja tudo errado", amenizou. "Algumas coisas estão corretas; mas outras não." Pedi então licença para ligar o gravador.

"De jeito nenhum", recusou, "aqui, não."

Aleguei que não tinha boa memória: "Você vai me obrigar a ficar a noite toda sem beber, prestando atenção, anotando. Na semana anterior tive que fazer um gigantesco esforço mnemônico para lembrar nossa conversa."

Ela insistia na negativa.

Então tirei do bolso de meu colete o gravador, pus ao lado do celular e argumentei: "Olha só, é do mesmo tamanho e tem uma vantagem: não toca, não fala e não incomoda ninguém. Só ouve. Garanto que ele vai ficar quietinho."

(Agora, transcrevendo a fita, rio da risada que ela deu com a cena. Era pena que fizesse isso tão pouco. Ela sorria mais do que ria.)

"Amei Fernando como nunca vou amar ninguém", foi a primeira frase captada pelo gravador e eu tive vontade de pedir que ela dispensasse os clichês. "Mas também odiei ele com tanta força que descarreguei, esvaziei meu ódio para o resto da vida. Hoje, mesmo que quisesse odiar não conseguia. Fiquei seca por dentro."

Subitamente, o rosto de Kátia tornou-se sombrio e, quando isso acontecia, envelhecia. Não pude deixar de sentir uma certa ternura por ela.

"Quando Fernando terminou comigo, ou melhor, quando flagrei ele aqui no Caesar Park, liguei desesperada para Ivan, que foi quem me consolou. Se não fosse ele, eu fazia uma besteira."

"Não sou babaca para não saber o quanto Ivan me usou. Me usou pra caramba. Fez de mim, de minha dor de corno o que quis. Mas só fez isso porque eu também quis. Fui eu que telefonei chamando ele pra ir lá em casa. Ele foi correndo, nunca perdeu a esperança, dava tudo pra dormir comigo. Sou vaidosa, mas não sou boba: sei que não é porque ele gostava tanto assim de mim não, era só pra sacanear o Fernando. Ele passou a vida querendo o que era do outro. Por isso, vivia me paquerando."

"Me entreguei a ele de raiva, de vingança. No meio do gozo, eu repetia: 'Ele tem que sofrer, eu quero que ele sofra.' Me lembro, e me dá vontade de rir agora dessa coisa ainda mais ridícula que ele dizia: 'Eu também, eu também.' Imagine a cena."

Kátia fez uma pausa, acendeu um cigarro no outro, e dessa vez fui eu que chamei o garçom para servir uma nova dose de manhattan. Queria mantê-la embalada.

"Essa foi a única vez que vocês transaram?", perguntei.

"Não. No meio do ano passado, Fernando e eu começamos a brigar, eu quase adoeci de ciúme. Vi que ia perder ele. Quando senti que ele ia se casar com a *perua*, corri de novo desesperada para o Ivan."

"Você corria para o Ivan tentando trazer o Fernando de volta, era isso?"

"Acho que era", admitiu. "Mas tinha que ter cuidado porque temia que, descobrindo, Fernando me abandonasse definitivamente."

A julgar pelo que me contou, a desconfiança excitava Fernando e o deixava inseguro. Os três pareciam viver um triângulo cujo equilíbrio dependia da paixão de Kátia, da indecisão de Fernando e da covardia de Ivan.

Algum tempo depois, Kátia descobriu que Ivan fora ao Centro de dona Lucinda para encomendar uma razoável quantidade da poção mágica, de cujos efeitos a mãe-de-santo tanto se orgulhava.

"Não sei se você sabe que foi Ivan que tirou Vó Lucinda daquele buraco lá da Baixada. Foi ele que comprou a casa na Pavuna pra ela. Ela é muito agradecida a ele."

Eu não sabia. "Vó Lucinda não te contou?" Fiz com a cabeça que não.

"Fernando voltou por causa do pó", ela disse e eu achei que ia cair da cadeira. "Ele cheirava?" Olhei para sua cara e me senti burro ao perceber atrasado que ela se referia ao pó da mãe-de-santo e não à cocaína.

"Aquela mistura de talco com farinha que a velha prepara?", perguntei, meio irritado com a credulidade de uma moça tão esperta e inteligente.

"Por isso é que eu disse que sem acreditar ia ser difícil", disse Kátia, meio ofendida e parecendo não querer continuar.

Fiquei me perguntando se era inocência mesmo ou astúcia – quem sabe o bobo não era eu?

"Como te disse, eu respeito", repeti, prometendo fidelidade na transcrição.

"A primeira vez que Ivan falou no plano eu não entendi", ela continuou.

"Deixei o escritório ao meio-dia pretextando uma ida ao médico e fomos a um restaurante do Fashion Mall. Como sempre fazia, começou se queixando do Fernando. A velha conversa: ele era invejoso, egoísta, só pensava nele, os outros que se danassem."

"Deu o próprio exemplo, de como fora usado, enquanto a glória ficava com o outro. 'Na firma, sou um empregado de luxo.' A gota d'água, porém, era o que ele fizera comigo, Kátia, me traindo com uma *perua*. 'Com uma *perua*', repetiu."

Kátia deu um riso irônico. "Veja como são as coisas. Sabe quem é a *perua*?"

Claro que não, como é que eu poderia saber? Pela sua cara, adivinhei que vinha surpresa. "Atualmente é a Sra. Ivan F.V.", disse, aguardando o efeito que a revelação causaria em mim.

Meu espanto estimulou-a mais ainda.

"Imaginei que devia ser uma jogada, mas senti uma grande satisfação em ouvir falar mal do Fernando e da *perua*. Era a única coisa que me dava prazer naqueles dias. Devo ter pedido com o olhar que ele falasse mais, xingasse, intrigasse, inventasse, mas que não parasse de falar mal. Não importava se era ou não verdade."

"Então, com raiva na voz, Ivan disse: 'Mas fica tranqüila que nós vamos dar um jeito nisso.' 'Nós, quem?', perguntei. 'Eu, você e Vó Lucinda. Fernando vai voltar pra você.'"

No dia seguinte, Kátia foi correndo ao Centro. Descobriu então que a mãe-de-santo estava entusiasmada com o plano. Ivan vendera para a velha a idéia de que a *perua* enfeitiçara Fernando e estava fazendo muito mal a ele e a Kátia. Era preciso libertá-lo, trazê-lo de volta. Era um desafio para o saber mágico da mãe-de-santo.

"Tenho que fazer um trabalho forte, minha filha, porque ele já tá meio enrabichado pela outra. Se demorar, pode não ter volta."

Dona Lucinda achava que Ivan era generoso, bom, ajudava os outros, o que era verdade, a julgar por ela mesma. Já Fernando, era egoísta, se orgulhava de não ter ninguém no mundo. "Minha família começa e termina em mim", ele dizia para todo mundo ouvir.

"Não entendo", eu disse para Kátia, "dona Lucinda não estava careca de saber quem era Ivan?"

"Sabia, mas fingia que não sabia. Ivan vivia dizendo que ele, sim, era a vítima da inveja do amigo. Ele convenceu Vó Lucinda dando dinheiro, e ela me convenceu porque eu queria ser convencida."

"E por que você acha que Ivan queria fazer tudo aquilo?"

"Ah, sim", ela se lembrou. "Eu estava esquecendo de contar o principal: Ivan disse a Vó Lucinda que queria conquistar a *perua*, que estava apaixonado por ela, vê só. Era mais um brinquedo de Fernando que ele queria pra ele. E esse era um brinquedo de luxo!"

Por isso, quando Ivan chegou com um pequeno embrulho com o "preparado especial" de Vó Lucinda, Kátia sonhava que com aquilo a *perua* ia sair da vida do seu amante e entrar na do rival. É o que lhe interessava. Para trazê-lo de volta, valia qualquer coisa.

"Ivan disse que bastava eu colocar o pó de cada envelope no almoço dele. Nós temos uma cantina na firma que eu é que supervisiono: escolho o cardápio, controlo o tempero, oriento tudo."

Kátia me dirigiu um olhar triste. "Você vai dizer que é ingenuidade minha, mas eu acreditei que ia ter o Fernando de volta. E na verdade eu tive, graças à poção de Vó Lucinda. Só não tive por mais tempo porque ele morreu."

Tinha acabado a primeira fita e não havia mais ninguém no bar além de nós. Os garçons pareciam dormir em pé. Era hora de ir embora. E eu precisava processar essas informações todas.

Quando chegou a conta, jurei para mim que era a última noitada do gênero. Senão, ia falir antes de terminar o livro. Como tínhamos combinado, eu paguei. Kátia concordou também que eu fosse levá-la em casa.

Na porta de um hotel residência na Barra, ela perguntou se eu não queria subir. Tomei o convite como um gesto inequívoco de cortesia, mas mesmo assim aleguei que era muito tarde. Eu tinha algumas razões para achar que ela gostava de testar sua capacidade de sedução.

Durante a viagem de volta para Ipanema, tentei organizar o que ouvi. Aconteceu então o que costuma acontecer depois de algumas entrevistas. "Por que eu não perguntei isso?" "Por que eu não pedi para explicar melhor aquela história?" "Isso que ela disse não está fazendo sentido."

Às vezes me dava vontade de retocar alguns detalhes na história contada por Kátia. Mas como lhe prometi ser fiel até nas incoerências, preferi sacrificar a verossimilhança em benefício da veracidade, mesmo admitindo que um relato realista é como a mulher de César: não basta ser, precisa parecer.

Mas, enfim, a história era dela, não minha, embora eu mesmo não soubesse até que ponto Kátia era uma construção das fantasias do narrador – onde terminava a realidade e começava a ficção.

Eu vinha divagando assim pela Sernambetiba, quando dobrei à esquerda para pegar a Avenida Érico Veríssimo. Ao atravessar o cruzamento, um maluco quase me bateu a 100km. Meu coração disparou com o susto. Começara a chover e a pista estava escorregadia. Achei prudente abandonar minhas elocubrações e concentrar minha atenção na pista.

Mesmo assim, chegar em casa ainda foi mais fácil do que explicar à minha mulher que tudo aquilo era por amor à inveja.

Quando procurei de novo dona Lucinda, coloquei-a a par de nossa conversa. "Arranjei uma nova sobrinha", anunciei. "Eu não disse que ela era formidável?" E aproveitou para fazer um pedido: "Você não dá um jeito de levar ela pra televisão?".

Informei que era difícil, havia milhares de candidatas, mas ela me desarmou: "Se até aquela sem-terra foi ser artista, quanto mais a Kátia, que é muito mais bonita." Achei razoável e prometi falar com alguém da Tv Globo, talvez o Daniel Filho.

Me dei conta então de que todo aquele empenho em ajudar antropólogos e escritores visava também a garantir o futuro artístico de Kátia. Como todo mundo, dona Lucinda sonhava com a glória, senão para ela, pelo menos para a filha. Ou para as duas. Acho que lá no fundo tinha esperança de alcançar seus quinze minutos de fama também, algo assim como "Vó Lucinda, a ialorixá que tem a melhor poção mágica da cidade".

Ela demonstrava compreensível medo de admitir que de alguma maneira a morte de Fernando pudesse ter sido causada pelo pó que fabricava e vendia no seu terreiro. Por outro lado, sabia também que a versão reforçava a lenda de que a sua poção continha irremediáveis poderes maléficos. Isso se traduzia em aumento de venda do produto e de prestígio do Centro.

Resolvi explorar essa ambigüidade. "Dona Lucinda", provoquei, "o seu pó faz ou não faz efeito?" Ela aí veio com aquela conversa de que "os santos é que faz mal". "Nesse caso", falei, "tanto faz tomar o seu pó quanto o do terreiro do lado."

Chamada aos brios, reagiu, garantindo que o dela já tinha sido provado. Os casos estavam aí mesmo. "Então a senhora vai preparar para mim a mesma poção, na mesma quantidade que preparou para o Ivan, se lembra?"

Em tom de confidência, menti para ela dizendo que o meu interesse ia além do livro. "Tou na mesma situação, preciso tirar o feitiço de alguém."

Demorou um pouco, mas saí de lá aquela tarde com a minha dose de pó branco, fino, que podia ser cocaína, talco ou maisena, se não contivesse, como garantiu a mãe-de-santo, "poderes mágicos".

De noite, esperei acabar o *Jornal Nacional* e liguei para Zé Noronha. "Se lembra que telefonei uma vez pra você por causa de veneno?" Ele se lembrou logo: "Claro, aquela história esquisita. E daí?".

"Daí que agora é pra valer; preciso do telefone daquele médico."

"Mas eu já te dei esse telefone."

"Mas eu não sei onde meti."

Meia hora depois, Zé me ligou com o nome e o número do Dr. Oscar Berro.

Sete orixás

Com aquele nome tão improvável quanto o meu, os cabelos louros e uma exuberância vaidosa, Marlicene lembrava muitos personagens – apresentadora de televisão, cantora sertaneja, mãe de *miss* – menos mãe-de-santo, cujo protótipo tinha mais a ver com o que eu vinha convivendo ultimamente. Marlicene era o contrário de dona Lucinda. Antes de Rivaldo me recomendá-la, eu já a conhecia. Tempos atrás, quando ainda não pensava no livro, eu percorrera os 60 quilômetros da Zona Sul até sua casa na Zona Oeste, no Rio, acompanhando o Dr. Brian Weiss, psiquiatra americano especialista em terapia de regressão a vidas passadas. Geraldo Jordão Pereira, editor no Brasil de Weiss e fundador em Campo Grande de um instituto para moças carentes, dirigido por Marlicene, resolvera promover o encontro dos dois e nos convidou, a mim e minha mulher, para irmos com eles. O psiquiatra chegara ao Rio precedido pela fama de quem já vendera três milhões de exemplares de livros no mundo todo. Dois deles, *Muitas vidas, muitos mestres* e *Só o amor é real*, estavam nas listas de *best-sellers* brasileiros havia vários meses. Agora, seria o lançamento de *A cura através da terapia de vidas passadas*.

De acordo com o método terapêutico do médico americano, uma neurose ou um distúrbio de comportamento podem ser apenas sintomas de traumas recalcados que serão curados, se o paciente, através da hipnose, for identificá-los em tempos imemoriais.

A cura resulta do enfrentamento real dessas causas tão distantes. Uma de suas clientes, a mais célebre, uma jovem chamada Catherine, teria se livrado da ansiedade e das fobias ao revisitar suas várias vidas, a partir de 1863 a.C. – isso mesmo: 1863 anos antes de Cristo. Outra cliente tentava se livrar do trauma de ter sido estuprada por soldados romanos na Palestina logo após a morte de Jesus. Um senhor, que não conseguia atravessar túneis, descobriu que fora enterrado vivo no antigo Oriente.

O Dr. Weiss não só se encantou com o Instituto São Cipriano, onde as meninas, vindas das 12 favelas que cercam o bairro, encontravam estudo, orientação, afeto e uma profissão decente, como se impressionou com sua diretora, Marlicene Ferreira, a mãe-de-santo que no andar de cima do Instituto dava consultas e fazia *cirurgias espirituais* usando a energia dos cristais. Além da atividade espiritual, Marlicene desenvolvia um trabalho social com os adolescentes da região.

Naquele dia, por exemplo, estava às voltas com o problema de duas meninas de 12 anos: uma, que engravidara, e a outra, que fora estuprada. Esta última, um ano antes, assistira à morte do irmão, que teve a cabeça cortada por um grupo de traficantes. Depois fora violentada e agora estava jurada de morte. Recolhida ao Instituto, a menina ia recuperar um pouco de segurança e de auto-estima.

Durante mais de duas horas, a língua não foi barreira para que Weiss e Marlicene trocassem idéias e experiências espirituais.

Graças ao inglês de uma professora do Instituto, que traduzia a conversa, a mãe-de-santo explicou ao médico americano sua técnica de terapia "ecumênica" – os dois sentados sobre a cama onde ela operava seus milagres. Na época, o encontro me inspirou uma crônica no *Jornal do Brasil*, entre cética e bem-humorada.

Na saída, depois de presentear o psiquiatra do Mount Sinai Medical Center, de Miami, com um de seus milagrosos pedaços de cristais, Marlicene tentou transmitir à minha mulher o desejo de que ela voltasse lá. Alguém se aproximou, interrompendo a rápida conversa e assim Mary ficou sem saber o porquê do convite.

Só voltei a me encontrar com Marlicene muitos meses depois, para entrevistá-la para o livro. Conversamos sobre o tema e ela confirmou o que eu já imaginava: que entre os seus clientes esse era o pecado mais presente. "Quase todas as consultas têm a ver com a inveja ou com o ciúme, ou com os dois", garantiu.

Marlicene já tinha tratado de vários casos de inveja, mas preferiu começar me contando o dela, ocorrido naquela semana. Ela estava na fila do banco, quando chegou uma colega, também mãe-de-santo, elogiando-a. "Como você está bem! Como está bonita! Continua com muitos clientes? Que bom!"

"Nesse dia", relembra Marlicene, "eu estava muito alegre e saudável. Mas à medida que ela ia me elogiando, me fazendo agrados, dizendo que admirava o meu trabalho eclético, eu ia me sentindo mal. Passei a bocejar, um sintoma típico. Fiquei cansada, quase desfaleci; tive que chamar o guarda para me ajudar a sentar."

Só em casa Marlicene melhorou, depois que fez uma "limpeza espiritual": tomou um banho de sal grosso com galho de arruda. "Daí a pouco eu estava boa."

Pergunto se é comum as pessoas revelarem que são invejosas, e ela só se lembra de um caso: o da mãe que morria de inveja da filha – de sua beleza, do casamento feliz, do que ela mesma não tivera. Por isso, fez tudo para separá-la do marido, rompeu com ela, infernizou-lhe a vida, mas muito tempo depois se arrependeu e passou a viver com um pesado remorso.

"Um dia ela me procurou e confessou que tinha feito tudo aquilo por inveja. Agora, porém, estava arrependida, queria reencontrar a filha e pedir perdão. Fiz o que ela queria, chamei a filha e tudo terminou bem. Foi um final feliz."

Baseada na sua experiência com casos de inveja e olho grande – "irmãos gêmeos", como os classifica –, Marlicene traçou um quadro dos sintomas que atacam as vítimas do mau-olhado: "desânimo, náusea, fadiga, abrição de boca, dores nas pernas e peso nas costas". Para combatê-los, ela receitava incenso, copo d'água com sal, carvão vegetal ou olho de boi, e arruda. Além disso, recomendava "cruzar a casa e, em cada canto, fazer a cruz e recitar: essa casa tem quatro cantos, cada canto tem um santo, pai e filho e espírito santo".

Aconselhava também a colocar na entrada da casa uma ametista bruta, "que tem a propriedade de tirar a vida nociva do ambiente"; no centro, devia-se colocar um quartzo branco, "para fazer fluir as correntes positivas"; e no quarto, um quartzo rosa, "cor do amor, que afasta as correntes negativas".

Só mais tarde eu soube que já havia pesquisas médicas confirmando o fenômeno descrito pela mãe-de-santo. Um oftalmologista americano, por exemplo, descobriu sintomas físicos nas pessoas que se acreditavam vítimas do mau-olhado. Sentiam dor de cabeça, fadiga, desconforto, dor de estômago.

Muitas vezes, porém, Marlicene observou que a inveja era mero "pretexto de incompetência" ou disfarce. "As pessoas que acham que são muito invejadas, na verdade são invejosas." Há ainda o caso dos que se defendem da inveja de tal maneira que adoecem ou se deprimem. "Tenho um cliente que comprou um carro novo, mas não de luxo, e trancou na garagem. Só saiu uma vez com ele. Tem medo do mau-olhado dos vizinhos. Vive em depressão."

No meio da conversa, sem mais nem menos, Marlicene pára e me pergunta: "Por que sua mulher não voltou mais lá?".

Estávamos na casa de uma amiga sua e eu levei alguns segundos para me lembrar que ela se referia ao convite que fizera à Mary meses atrás, quando estivemos no seu Instituto.

"Falta de tempo", tentei me desculpar, "viagem, compromissos, muitas coisas." Notei que seu rosto, sempre risonho, ficara sério e resolvi perguntar. "Por que você pediu a ela para voltar?"

"Porque queria conversar sobre você", ela respondeu.

"Sobre mim?!"

"Sobre você. Senti que estava muito carregado."

"E por que então não conversou comigo?"

"Porque sua mulher tem uma energia muito especial. Ela teria mais sensibilidade para captar o que eu ia dizer."

"E o que você ia dizer?", perguntei, já agora ansioso.

Com a ajuda de gestos, ela descreveu o que vira em mim. "Você tinha uma coisa ruim por aqui", disse, fazendo um gesto amplo com as duas mãos sobre o próprio corpo, tentando abarcar a região que queria mostrar. "Por aqui", repetiu, enquanto alisava o estômago em movimentos horizontais.

"Aqui onde? No estômago?", eu insisti.

"Mais embaixo", ela precisou. "Você tava como se estivessem enforcando você por dentro."

Achei esquisita a coincidência. Será que ela sabia de alguma coisa, tinha alguma pista? Era impossível. Não tinha como saber de minha operação, nem de minha doença. Já não conseguia mais esconder minha curiosidade, quando subitamente ela me desconcertou mais ainda. Mesmo agora, me arrepio contando.

"Que mais você viu, Marlicene?", perguntei, desafiando-a.

"Vi muito sangue", ela respondeu e me olhou nos olhos. Havia alguma coisa estranha no seu olhar que me fez baixar o meu. Ela então repetiu: "Muito sangue."

Não sei se percebeu o meu susto, mas logo em seguida seu rosto voltou a ficar risonho e ela procurou me tranqüilizar: "Agora tá tudo limpo."

Depois, pediu emprestado minha caneta e meu caderno de anotações.

Se ajeitou na cadeira, deu um sorriso e fez uns desenhos: era uma cruz. Aí, escreveu o nome de meus sete orixás: o primeiro era Omulu, o segundo Oxum e em seguida Xangô, Ogum, Oxosse, Inhansã e Oxalá.

E sugeriu que eu me agarrasse a eles. Não estava convencido de nada do que ela disse, ainda guardava uma boa reserva de incredulidade, mas mesmo assim não tive nenhuma vontade de debochar do seu conselho: ia me agarrar, senão a todos, pelo menos a um dos sete orixás.

Punitivo e cruel

Ao chegar domingo de Itaipava, encontrei o recado na secretária eletrônica: "Zuenir, aqui é Marlicene. Preciso falar com você ainda hoje." A voz era de urgência e preocupação. Não podia ser apenas para confirmar a ida na quinta-feira ao terreiro do pai-de-santo Enéas, como havíamos combinado. Devia ser alguma coisa mais séria. Telefonei então para saber. "Alô", ela repetiu duas vezes sem me ouvir direito. "Desliga o rádio!", gritou para alguém ao lado e só então reconheceu minha voz. "Ah, sim, é você. Me desculpa, mas liguei ontem porque tinha urgência em te falar." Devia ser uma má notícia, imaginei. "Fiquei te analisando", ela informou, "e entrei em estado de transe. Tive visões e recebi uma porção de mensagens para você."

"Que mensagens, Marlicene?", perguntei, meio impaciente. Afinal não precisava ter deixado um recado com aquela voz tão intensa por causa de umas "mensagens".

"Anotei tudo e vou ler alguns trechos", ela disse, e foi lendo, enquanto eu fazia rabiscos numa folha de papel sem prestar muita atenção. Me lembro vagamente que ela começou a discorrer sobre a inveja, falou de "terceiro pecado", "cobiça do sucesso dos outros", "sentimento medonho", entre outros lugares-comuns sobre o tema.

De repente, meus mecanismos de alerta foram acionados. Será que ouvi direito? "Ameaça de morte", "doença", "coisa medonha". Levei um choque.

"Peraí, Marlicene, repete isso, por favor."

Devagar, porque devia estar lendo, ela falou:

"Você foi vítima de inveja e por essa razão, por causa de um desejo inconsciente, está escrevendo sobre isso."

Cessei os rabiscos e comecei a anotar. Quando alguém diz que você é invejado, a tendência é não discutir, você se sente lisonjeado. No fundo, todo mundo gosta de se acreditar possuidor de qualidades invejáveis.

"A sua busca não é só por causa do livro, é alguma coisa que você quer desvendar. A sua preocupação real tem uma grande razão. Algo espantoso está lhe acontecendo que desarrumou o equilíbrio da família."

De vez em quando, ela apressava a leitura e eu tinha que pedir para repetir uma ou outra palavra.

"Tudo estava indo bem e você sem causar inveja a muitos", ela prosseguiu e eu anotei textualmente, "até que algo estranho aconteceu. Estava tudo em paz até o final do ano passado, a mudança começou no início do ano de 1997, quando tudo começou a balançar."

"Dá licença um instante, Marlicene, volto já", pedi, como se fosse abrir uma porta. Na verdade, era para realizar rapidamente uns cálculos. Fiz as contas: o exame que detectara os tais pólipos na minha bexiga foi em novembro de 96; a primeira operação, também; a segunda ocorreu em março de 97. Com um pouco de boa vontade criptográfica, se poderia dizer que ela acertara a data do início da "mudança" e de quando tudo começou a "balançar".

Peguei de novo o fone sem dizer nada sobre isso a ela. Apenas perguntei se ainda faltava muito. Ela disse que não, só mais uma "coisa importante". E recomeçou a leitura.

"Você passou por uma fase difícil e seu filho também, né?" Mal pude confirmar, ela continuou: "Você vai sofrer uma ameaça muito grave. Até de morte de alguém."

Foi como se tivessem me tirado o fôlego. Do outro lado da linha, ela deve ter percebido o silêncio. "Não, não fica assustado não!"

"Imagina! Por que haveria de me assustar, Marlicene?", ironizei, irritado.

"Fica tranqüilo, você tem muita energia, muita luz e muito poder mental para destruir o mal."

Na sua "visão", Marlicene me fotografou com uma espada na mão lutando contra um "exército" de inimigos. "As pessoas apareciam materializadas com caras muito ruins", ela revelou, "mas eu não conhecia nenhuma. Acho que até o final do livro você vai reconhecê-las."

Na semana seguinte, comparei o que havia anotado com as três folhas de texto escrito a lápis que ela me entregou. Não havia nada mais interessante do que o que me ditara pelo telefone.

Quando desliguei, Mary estava curiosa, mas eu disse só por alto o que tínhamos conversado. "E que que é isso aqui – 'ameaça de morte de alguém'?" – ela quis saber, depois de ver minhas anotações deixadas sobre a mesa. Menti, explicando: "Não é com a gente não." Se referia a coisas que já tinham ocorrido. Ela não acreditou, claro. "Ah, é? Marlicene agora está fazendo previsões do passado?"

Restava aguardar a visita ao terreiro de Enéas de Oxóssi, o nome civil do caboclo Tranca Rua. Eu tinha pedido a Marlicene para me arranjar um pai-de-santo e ela me indicou esse, trazendo-o à sua casa para que eu o entrevistasse. A conversa tinha durado duas horas e rendera algumas boas histórias de inveja.

Em uma delas, o personagem era um rapaz invejoso que vivia falando mal de Enéas. Numa bela manhã de domingo, ele resolveu ir à praia na Barra da Tijuca. Tomou sol, mergulhou e, quando já no calçadão se preparava para entrar no carro, alguns desconhecidos caíram em cima dele com socos e pontapés, arrebentando-o todo.

Pouco antes, passara pelo local um carro e alguém de dentro, covardemente, jogou um chinelo, que atingiu um garoto quebrando-lhe os dentes. Seus parentes e amigos, indignados, começaram a procurar o agressor, até que alguém, dizendo ter visto a cena, apontara: "É aquele ali."

A história deve estar incompleta, mas eu a passo em frente como a recebi. Nesse momento, o falso agressor estava chegando ao carro, mas não teve tempo de se explicar: apanhou e ainda foi preso.

Lento como um bom baiano, Enéas continuou com sua voz pausada e monocórdia: "O pior é que tive que ir na delegacia pra soltar ele. O rapaz ficou meses com aparelho, bebendo e comendo por um canudinho, não falava nada." Faz uma pausa, acende um novo cigarro *light* e o relato prossegue como se tudo fosse uma caprichosa obra do acaso.

"Aí me chamaram. Na delegacia, ele com a boca quebrada, o delegado perguntava e ele não falava nada. Aí eu falei pra ele: 'Tá vendo? Isso é pra você parar de falar de mim uns tempos.' As pessoas acham que foi eu que fiz. Eu não fiz nada não. Mas eu tenho certeza que aquilo ali foi por isso. Nunca mais falou de mim."

"E pode ter sido o Tranca Rua?", perguntei, fingindo ingenuidade.

"Pode, pode até ter sido", respondeu Enéas.

"Incorporado em você?"

"Pode ter sido incorporado, pode ter sido sem estar incorporado."

Enéas falou o tempo todo em seu próprio nome e em geral se referia a "Seu Tranca Rua" como uma outra pessoa, uma entidade em cujos feitos e ações não interferia. Quando se materializava em Enéas, esse tal de Tranca Rua era um deus punitivo e temido nas redondezas. Por suas proezas, mas também por sua crueldade.

Além de ambicioso, de gostar muito de presentes – parecidos com o anel, o cordão e a pulseira que por acaso estavam servindo de enfeites a Enéas –, ele era um pouco egoísta e se dizia muito invejado. Como informou o meu entrevistado: "Ele ainda está na obscuridade, por mais luz que tenha."

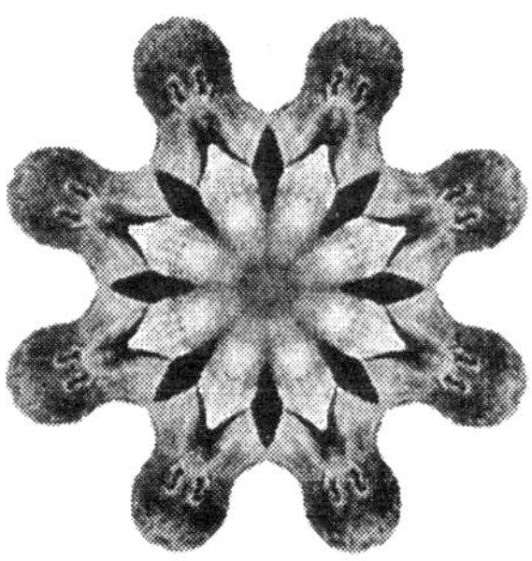

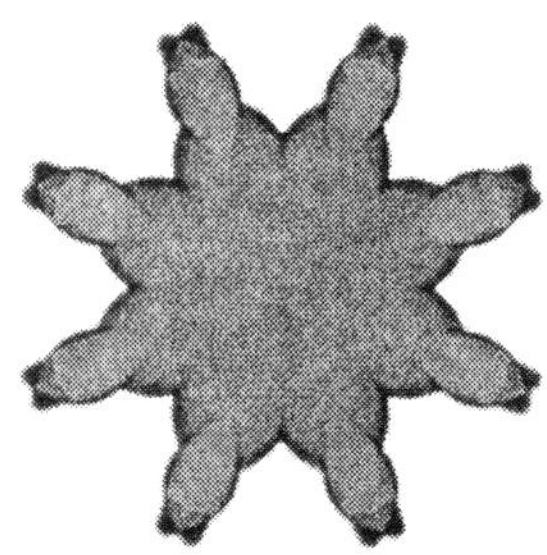

Desconfiei de que poderia ter um pouco de *marketing* naqueles excessos de crueldade. Um líder precisa se impor e Seu Tranca Rua talvez fosse um líder maquiavélico, que prefere ser temido a ser amado. Para governar um reino terreno como o seu, com tanta concorrência, ele talvez quisesse impor a obediência e a servidão, em vez da admiração.

Mas melhor do que ficar falando do Tranca Rua, seria ir falar com ele.

Tranca Rua

Quando atravessamos o portão de entrada do Centro Espírita Caboclo Sete Flexas, eram quase sete horas da noite e Seu Tranca Rua já tinha baixado no terreiro iluminado por uma lua quase cheia. Só por essa primeira visão, a noite prometia ser inesquecível. Ao som de um bonito *ponto*, ele estava dançando no terraço em frente a uma pequena construção em alvenaria que poderia ser confundida com uma capela, se não fosse a cor vermelha com que era pintada por dentro. Em cima da porta, a inscrição: "Seu Tranca Rua, rei da encruzilhada". Coberto por uma capa de veludo negro, presa por um fio no pescoço, aquele agitado mulato de cartola não lembrava o malemolente Enéas que eu vira na semana anterior na casa de Marlicene. Na mão esquerda uma garrafa de cachaça e na direita uma bengala. Quando girava, o enorme manto exibia nas costas esplendorosos bordados em paetê. Os desenhos, em forma geométrica, deviam conter algum significado que eu não alcançava. As cores e matizes brilhavam com a luz: vermelho-claro e escuro, amarelo, cor-de-rosa, azul.

Sem olhar para os que chegavam, ele disse um "boa noite" esticado – "boooa noiiiite" – com uma língua meio enrolada. Será que já estava bebendo há muito tempo? Em seguida, levou o gargalo da garrafa à boca, convidou todos a "chegar" e entrou na tal capelinha. Entrei atrás e a primeira coisa a chamar a atenção foram as estátuas de gesso, umas quatro, a mais visível das quais ficava do lado direito e tinha quase a minha altura. Era a representação do Tranca Rua, com uma cartola e uma capa negras parecidas com as que o próprio estava usando. Mas, em vez do cajado, sua mão direita segurava um tridente.

Abaixo, uma cestinha com notas de dez e cinco reais funcionava como sugestão para que essa rala pilha de donativos crescesse um pouco mais com nossa ajuda.

"Bonita a imagem, Seu Tranca Rua", eu elogiei, para dizer alguma coisa. Com cuidado e respeito, perguntei o que significava o tridente.

"É o símbolo do rei Netuno, o senhor não sabe? É a arma com que Exu se livra do mal", respondeu com uma voz que, a não ser pelo sotaque baiano, nada tinha a ver com a de Enéas. Era a de um velho.

Em seguida gritou para alguém: "Ô, moça gorda, traz uns tocos pra esse povo sentar. Tejam à vontade que depois vou dar um boa noite a cada um de vocês", anunciou aos meus seis companheiros de expedição que se acomodavam como podiam na saleta. Por ser um lugar de consultas individuais, o recinto não estava preparado para receber tanta gente.

Como anfitrião, Seu Tranca Rua me convidou para sentar numa cadeira em frente à sua e se mostrou meio impaciente, não com a nossa numerosa presença, mas com a demora com que a "moça gorda", uma senhora negra com um avental branco e rendado, providenciava os tocos que funcionariam como assentos.

"O povo é muito parado!", queixou-se e eu achei que ele estava se referindo à demora da auxiliar. Vi logo, porém, que sua observação tinha um alcance mais amplo.

"Enquanto o diabo bebe e pula e sapateia", ele informou, "o povo do mundo de ocês é muito quieto, é muito tímido." E levou a garrafa à boca para mais uma das muitas talagadas que daria ao longo de nossa conversa.

Liguei discretamente o meu pequeno gravador e notei que ele percebera. Por um instante achei que ia mandar desligar. Felizmente não mandou. Assim, pude introduzir logo o tema que tinha me levado a ele.

"E como é que o senhor vê a inveja nesse mundo?", perguntei.

"Eu vejo a inveja como a arma dos incompetentes." A resposta não chegava a ser original, mas me soou nova na boca de quem, na pele de Enéas de Oxósi, não a tinha pronunciado nem uma vez na casa de Marlicene.

"E existe remédio contra a inveja, Seu Tranca Rua?"

"Tem, tem sim. Na minha língua eu digo pro senhor que o remédio...", aí interrompeu e exigiu mais precisão: " Pera aí, o senhor quer remédio pra combater a inveja ou pra combater invejoso?".

Disse que os dois, e ele respondeu com uma receita: "Se o senhor quer combater o invejoso, o senhor bota fogo no rabo dele", recomendou, e eu me surpreendi. A linguagem me pareceu um pouco vulgar, e ele percebeu também que tinha baixado o nível. "O senhor desculpa a minha expressão, só sei falar assim."

Preferi fingir que não havia notado e perguntei se ele já tinha "baixado" há muito tempo.

"Já tem um tempo, já atendi um povo por aí", explicou, demonstrando uma certa impaciência. "O que mais o senhor quer de mim, quer que eu diga o que, quer que eu faça o que, o que que vocês precisam?"

"Nada, Seu Tranca Rua", eu disse com delicadeza. "Muito obrigado, mas vim a trabalho. Foi Enéas de Oxóssi que me convidou", expliquei, esforçando-me para cumprir direito essa inédita tarefa de falar com alguém sobre si mesmo, como se fosse uma terceira pessoa.

"Seja bem-vindo. O meu reino é humilde, mas taí à disposição de vocês", ele disse, modesto e gentil, e achei que o "reino" se referia não só ao seu terreiro, mas também à sua morada divina, de onde anunciava estar vindo.

O oferecimento me pareceu tão sincero que relaxei de vez. Estava até então um pouco tenso. Ao atravessar o portão do "reino", tive um mau pressentimento e quase me arrependi de ter feito aquela viagem levando tanta gente. Afinal, eu não podia deixar de me lembrar: alguém morrera ali literalmente por inveja.

A história era uma das três com mortes que Enéas de Oxóssi contara na semana anterior, na casa de Marlicene. Segundo o relato, havia nas redondezas um rapaz com olho grande em cima de Enéas. Cobiçava-lhe o poder e a fama. Por inveja, teria planejado assaltar o Centro e matar o dono. Seu Tranca Rua resolveu então intervir. Não ia deixar o seu protegido desamparado. Numa noite, com muita gente no terreiro, ele fez uma advertência geral: "A pessoa que tá pensando nisso é que vai morrer."

O invejoso estava lá e, pelo visto, não deu atenção à advertência. Ainda por cima teimou em desobedecer a uma proibição sagrada. Na festa para a qual todos dali estavam convidados, ninguém deveria sair antes da hora. Só o rapaz cismou de ir embora. "Chegou pra mim e falou: 'Enéas, vou embora'. Eu falei assim: 'Não vai não, Seu Tranca Rua não falou pra não sair ninguém?'. Ele falou: 'Mas eu tenho que ir, eu tenho que ir.' 'Então tá, vai com Deus.' Ele saiu e no portão escutamos os tiros, quatro tiros. Aí alguém foi ver e disse: 'Ih, é fulano de tal, mataram ele aqui, agora.' O homem tava morto lá no portão."

Ali, naquele portão que acabávamos de atravessar.

Não conseguia deixar de pensar na história. E se acontecesse alguma coisa? Dias antes, num jantar na casa de um sobrinho, falara da entrevista com Enéas de Oxóssi. Quando revelei que na quinta-feira seguinte iria entrevistar Seu Tranca Rua, os que ouviam quiseram nos acompanhar.

A preparação da "viagem" me ocupou de tal maneira que não tive tempo de ficar apreensivo, como estava ao atravessar o portão. Agora, diante de Seu Tranca Rua com aquele braço nu e musculoso por baixo da capa, a apreensão tinha virado medo. Só com aqueles bíceps e a garrafa de Caninha da Roça, ele nos dominaria a todos, se quisesse. Não precisava nem pedir a ajuda dos três homens que estavam ali fora para qualquer coisa, certamente.

No nosso grupo havia quatro mulheres, entre as quais uma garota bonita de 23 anos. Eu não esquecera a gabolice meio concupiscente de Enéas, quando se referira às suas clientes na entrevista da semana anterior: "Muitas no fundo vão pra me ver, pra me cantar."

Ele estava se referindo a ele mesmo, Enéas, mas e se Seu Tranca Rua também fosse um irresistível D. Juan? E se resolvesse, com aquela garrafa e contorcendo a boca, se engraçar pra cima de uma de minhas acompanhantes, ou até sobre todas?

O terreno do Centro Caboclo Sete Flexas era gramado e do tamanho de um campo de futebol. Havia uma grande mangueira em frente à sala de consultas e quando as outras árvores crescessem mais, o local se transformaria numa grande chácara. Era todo cercado por muro. Poderíamos gritar a noite toda que ninguém lá fora ouviria.

Justiça seja feita. Seu Tranca Rua se portou a noite toda como um *gentleman*. Mas até então não se sabia o que poderia acontecer, embora a presença de Marlicene fosse uma garantia. Tanto Enéas quanto Tranca Rua tinham por ela muito respeito.

"Não sei se o Enéas lhe disse, Seu Tranca Rua, mas estou fazendo um livro sobre a inveja", anunciei.

"O senhor falou em inveja, muito bem", fez uma pausa, como se meditasse, e perguntou: "A que conclusão já chegou?"

"Concluí que todo mundo tem inveja, não sei se o senhor acha assim."

"Todos sofrem do mal da inveja", pronunciou as palavras cadenciadamente, como se estivesse enunciando uma sentença.

"E o senhor é muito consultado por causa dela, a inveja?"

"A todo instante, a todo instante", repetiu. "Vieram aqui dez pessoas hoje; sete foi pra combater esse mal."

"Invejados ou invejosos?"

"Invejados. O invejoso nunca assume que é. É preciso ficar alertando ele: 'Fulano, você é invejoso demais. Mas cuidado porque você pode tropeçar nessa inveja e cair.'"

"E o senhor é muito invejado também, Seu Tranca Rua?"

"Puta que o pariu!", exclamou, e achei que era uma recaída. Será que ia apelar de novo para a grossura? Não, era apenas um desabafo. "Meu reino queima a todo instante. Toda hora tem que estar limpando. Não podem derrubar Tranca Rua, então tentam derrubar meu povo. É preciso que eu teja atento, tem que saber onde tá o perigo e limpar o ambiente, que suja com a inveja, com o olho grande."

"É por isso que às vezes o senhor precisa fazer trabalhos, digamos, mais eficazes?"

"É, precisa de fazer, moço. Às vezes pra combater a própria inveja que está em cima de meu povo."

"Trabalho pesado mesmo, né?"

"Tenho que fazer, tem que ser feito."

"Mas pra aniquilar mesmo?"

"Pra aniquilar mesmo!"

"E o senhor consegue?"

"Tanto consigo que tou aqui nesses 30 anos, com esse mesmo povo, com a mesma disposição, com bebida à vontade, com tudo aí à vontade, o reino pra vocês passearem à vontade. A inveja não chegou a destruir nada por aqui. Quem é meu amigo, quem confia em meu trabalho, ela não destrói. Quem crê no que eu digo, e eu sempre digo a verdade, não será destruído pela inveja."

Achei que estava na hora de acabar. Agradeci, pedi licença para dar uma olhada no reino e deixei a sala.

"Teje à vontade", ele deu a permissão, "o reino é seu."

Saí para visitar o Centro, enquanto meus companheiros de viagem se consultavam com Seu Tranca Rua.

A primeira construção a uns cinco metros à esquerda da capela era a "sala dos jogos": toda pintada de branco e com o piso de cimento azul, "azul de Oxóssi", como explica meu guia, um jovem com brinco na orelha. Ali é o local onde Enéas, não Seu Tranca Rua, "lia" a vida dos outros através dos búzios e das cartas.

No centro da sala de uns dez metros quadrados, fora colocada uma mesa retangular, coberta por um véu fino, muito branco, como as paredes e a iluminação de luz fluorescente. Por baixo da tela podiam-se ver os objetos: uma pequena pirâmide de vidro azul, um copo d'água, uma bola de vidro, muitos colares de contas e de pedras de várias cores, alguns cristais e um pote com um pó branco, com toda certeza uma poção mágica. Me lembrei do Centro de dona Lucinda, onde havia uma arrumação parecida, inclusive com o pote da poção. A cadeira de junco de espaldar alto, como se fosse um trono, devia ser do pai-de-santo. Na outra, mais simples, provavelmente se sentavam os clientes.

Saindo da casa dos jogos avistava-se à direita o chamado Barracão de Candomblé, a maior construção do terreno, coberto de telhas de amianto e com o chão de cimento azul – um enorme e retangular salão. Bem no meio, no piso azul, uma pequena lápide, que me dizem ser o lugar do "Ariaxé", os fundamentos, a segurança e a sabedoria do pai-de-santo.

No fundo o altar, mas antes de chegar a ele há um pequeno estrado sobre o qual estão os três atabaques sagrados. São os instrumentos da evocação. Através deles é que os orixás descem à Terra. O mais alto chama-se Rum, é dedicado ao orixá da casa, ao pai-de-santo; o Rupi é o ajuntor, ou seja, do segundo santo; e o Lé, destinado ao terceiro santo. São sempre três no candomblé, informa o guia. "No caso de aqui, que é uma nação de Alaketo, oriunda da aldeia de Oxóssi em Alaketo, eles são tocados no Aguidafi, isto é, nas varinhas."

O altar é um monumento ao sincretismo religioso. Presos no alto da parede, três pequenas prateleiras; uma, no centro, com a imagem de Jesus Cristo, ou melhor, Oxalá: à esquerda Santo Antônio e à direita Nossa Senhora de Fátima.

Concorrendo com esse altar e à sua esquerda, está o que poderia ser um santuário de São Jorge, altaneiro, maior do que as outras imagens. "Era pra ter um centro pra umbanda e outro pra candomblé", o guia se apressa em me ensinar, "mas então a gente juntou e ficou misturado."

Quando saí, vi a nossa jovem companheira conversando com a mãe, depois da consulta. Perguntei como tinha sido.

"Problema emocional", informou, com um sorriso meio envergonhado. Ela acabara de romper um namoro de cinco anos e não se conformava. "Estou com mal de amor", confessou, sorrindo de novo.

"E Seu Tranca Rua acertou?", quis saber.

"Acertou na hora. Só perguntou: 'Quem é o rapaz de olhos verdes?'"

"Você não tinha dado nenhuma dica?"

"Nenhuma, sentei e não disse nada."

"E o rapaz tem mesmo os olhos verdes?"

"Tem."

Aí, quem arregalou os olhos fui eu.

Depois da jovem, foi a vez do pai se consultar, mas ele não saiu tão impressionado. Já o outro amigo, um intelectual crítico que fora padre durante 20 anos, saiu da consulta rindo muito e fazendo piada, mas suspeitei que era para disfarçar um certo espanto. O ex-padre não aparentava a idade que tinha, parecia menos. Pois bem, Seu Tranca Rua adivinhou os 72 anos que ele iria completar daí a uns dias.

Com os demais visitantes, não houve nada de extraordinário. À minha mulher, ele disse que ia tudo bem com nosso filho e conosco, mas que ela, além de uma viagem imprevista, poderia ter problemas respiratórios. Aproveitei o diagnóstico para reforçar minha campanha para que ela deixasse de fumar.

Eu mesmo não quis me consultar. Quando insistiram, aleguei que não podia "misturar as coisas", pois estava ali profissionalmente. Acho que no fundo não queria ouvir nada que diminuísse minhas reservas de ceticismo. Em baixa, bastava meu sistema imunológico.

Encerradas as consultas, fomos convidados a entrar no Barracão para assistirmos à cerimônia de canto e dança. Sentamo-nos nas cadeiras junto à parede e vimos que tinham sido dispostas umas três mesas de bar com guaraná e salgadinhos – uma gentileza da casa para os seus visitantes.

Os atabaques já estavam evocando os orixás quando Seu Tranca Rua, todo solene, adentrou – pra variar, com a garrafa na mão esquerda e a bengala na direita. Contive uma enorme vontade de perguntar se aquela garrafa era ainda a primeira ou a segunda ou a quinta. Marlicene não me disse que nos seus bons tempos chegou a beber 10 garrafas numa noite, sem sentir absolutamente nada?

Aquele era pra mim o grande mistério: como se podia ficar sóbrio após beber cinco garrafas, que fosse uma, de Caninha da Roça?

O som e o ritmo dos "pontos" contagiavam. Nenhum de nós dançou, mas entendi o que Aparecida dissera há pouco lá fora. Ela trabalha no Instituto com Marlicene, mas é uma "cética", não acredita "naquelas coisas". No entanto, muitas vezes cantava e rodava sem querer. "Aquilo vem com a batida do tambor. Você começa e não pára mais. É melhor se soltar, porque se ficar com medo, como eu fico, fica balançando e aí cai mesmo."

Um dos tocadores de atabaque tinha uma voz extraordinária, que puxava os *pontos*.

Exu tem mironga,
Exu tem axé,
Exu tem mandinga
Debaixo do pé.

Seu Tranca Rua dançava e cambaleava como se quisesse desafiar a lei da gravidade. Lançava o corpo para a frente, apoiando-o na ponta dos pés, e o trazia de volta fazendo dos calcanhares o ponto de apoio. Junte o gingado de um baiano e um carioca e você tinha naquela noite Seu Tranca Rua. Quando rodopiava, fazia o movimento das baianas das escolas de samba.

Seu Tranca Rua cobriu
com sua capa, sua capa
cobre tudo, só não
cobre a falsidade.

Depois que acabou a cerimônia, tivemos que esperar um bom tempo até que Seu Tranca Rua se transformasse novamente no mortal Enéas de Oxóssi. Ele apareceu de rosto lavado, camisa azul estampada, risonho e sóbrio, nada a ver com o personagem que incorporara durante quase três horas. Falou comigo como se não me visse há uma semana.

Na volta para casa, tomamos a Avenida Brasil, por ser mais "segura?" como ouvi o motorista dizer. No carro, perguntei-lhe por que "mais segura"? "Porque não tem quebra-molas, a gente não tem que diminuir a velocidade, o senhor entende..."

Claro que eu entendia. Estavam naqueles automóveis algumas pessoas que, na bolsa carioca de seqüestros, valiam uns bons milhões. Além do mais, os carros eram Omegas pretos, e os motoristas usavam terno e gravata. Só faltava uma faixa avisando: "empresários de muitos recursos".

Os motoristas não queriam correr o mesmo risco da ida, quando levamos quase duas horas para chegar, por causa dos quebra-molas e das paradas para obter informações. "Por favor, onde fica a Estrada dos Moinhos?", "Por favor, onde é o terreiro de Enéas de Oxóssi", a gente ia perguntando. "O senhor segue em frente, na segunda rua dobra à esquerda e depois à direita; aí é melhor perguntar de novo."

Quando chegamos ao apartamento de um dos companheiros de viagem, na avenida Vieira Souto, eram 11 horas da noite e resolvemos fazer um brinde. Ao todo, a expedição havia durado umas seis horas. Estávamos exaustos, mas satisfeitos. Eu, particularmente, estava aliviado: tudo correra bem.

Rainha dos emergentes

Um mês depois, eu estava na sala de Kátia, no seu apart-hotel. Aceitara enfim o convite. Ela tinha ido à minha casa para uma nova entrevista e insistira para que eu conhecesse seu apê. Era um sala-e-quarto bastante razoável. Espaçoso e claro. Os móveis, da Tok-Stok, revelavam pelo menos um gosto correto. Na parede maior, um quadro do pintor emergente Romanelli. Perguntei se a decoração era do Éder Meneghine, o "decorador das mil casas" da Barra, e ela suspirou: "Quem sou eu?". Cheguei até a janela e admirei por instantes a piscina lá embaixo, bastante concorrida naquela manhã ensolarada de sábado. Ao virar a cabeça, notei na estante ao lado da janela um objeto brilhando, prateado, que podia ser uma agenda – ou um missal? "O que é isso, Kátia?" Me aproximei e ela pediu: "Por favor, não mexe não, é o livro de São Cipriano." De onde estava, deu para ver, gravado na mesma cor prateada, o título: "São Cipriano." No meio e mais embaixo estava escrito: "Capa de aço." "Editora Eco." "Não posso pegar?", perguntei.

Ela se levantou, apanhou o livro, abriu na página de rosto e ficou segurando enquanto eu lia. Havia uma "explicação necessária", que terminava com essa informação:

> *"Recentemente foram encontrados manuscritos, dando provas da veracidade do conteúdo desta obra, bem como de sua eficácia na prática da Magia."*

Mais embaixo, o que realmente Kátia queria que eu lesse:

> *"Importante! Não é aconselhável emprestar este tomo."*

"Quer dizer que eu vou ter que comprar um?"

"Pra quê? Você não acredita."

Expliquei que me interessava porque o santo era o protetor de Marlicene, uma mãe-de-santo que eu gostaria que ela conhecesse.

Continuei meu passeio pela sala. Espalhados sobre o sofá preto, exemplares de *O Dia*, de *O Globo* e da revista *Caras*. Se Rivaldo estivesse ali, diria que aquilo era o resumo da trajetória simbólica de Kátia e de seus amigos – da Baixada Fluminense à Barra da Tijuca, via imprensa. *O Dia* era o jornal mais popular do Rio, a revista *Caras* era a preferida dos emergentes. Quanto a *O Globo*, era onde escrevia Hildegard Angel, a primeira a revelar os emergentes e a lhes dar nome e notoriedade.

"Você gosta de Marisa Monte?", ela perguntou, escolhendo um CD. Disse que adorava. "E de Claudinho & Buchecha?", respondi que não tanto. Não tinha o gosto eclético de minha nova amiga.

"Por que você deixou a escola?", perguntei, quase lamentando.

"Você sabe o que é pegar todo dia um trem em Caxias, saltar em Triagem, mudar de linha e ficar esperando o Belford Roxo?"

"E não tinha ônibus?"

"Tinha, mas além de ser mais caro, era a mesma coisa. Pegava um, descia na Penha e aí tinha que esperar o 349 que me levava até Rocha Miranda."

Como não sabia o que era pegar trem em Caxias, nem mesmo ônibus, fiquei em silêncio. Ela então perguntou o que eu queria. Em vez de responder que não estava podendo beber, resolvi deixá-la sem jeito. "Se não tiver negrone", disse, "só quero água." E aproveitei para matar uma curiosidade: como ela tinha se "viciado" em manhattan?

"Era a bebida preferida do Fernando. Ele me ensinou tudo, até a beber."

Olhando em volta, cheguei à conclusão de que ela era a mais autêntica emergente que eu conhecia. "Você emergiu dos escombros de um desabamento da Baixada para a superfície da Barra: de submergente a emergente."

"É verdade, quem diria", admitiu.

Eu quis saber se ela freqüentava os emergentes. "Quando o Fernando estava vivo e a gente namorava, ia a quase todas as festas com ele. Nos fins de semana, comíamos fora: no Pescare, no Grill, no Porcão ou no Gepetto."

"Agora, costumo atravessar a Sernambetiba e ir ali no Posto 6, no quiosque Viajandão, ver Romário jogar futivôlei. Adoro a Barra."

"Você conhece a Vera Loyola?", perguntei.

Por coincidência, ela fora convidada por uma amiga para uma feijoada na casa dela naquele sábado. "Ela é a nossa rainha!", se entusiasmou. "Ela, sim, é autêntica."

Me lembrei da intimidade de Kátia com o hotel Caesar Park. "Parece que você já conhecia, não?"

Fez um ar saudoso e ao mesmo tempo triste: "Fui muitas vezes com o Fernando; ali passei alguns dos meus melhores e dos piores momentos."

Apontando para *O Globo,* que estava aberto na página da Hildegard, Kátia me perguntou: "Você não se lembra da 'festa das 400' no Caesar Park?".

Como não? Fora um evento histórico. Naquele 24 de julho de 94, surgia uma nova sociedade no Rio de Janeiro e criava-se entre ela e a antiga uma curiosa dinâmica de inveja, uma inversão: os novos, que invejavam os antigos, passaram a ser invejados por estes.

Éder Meneghine, que organizara a reunião para comemorar seu 34º aniversário, contaria mais tarde no livro *Os emergentes da Barra*, de Márcia Cezimbra e Elisabeth Orsini: "Foi um assombro. As tradicionais chegavam de táxi ou em carros bem simples. (...) As emergentes chegavam com roupas importadas, grifes internacionais chiquérrimas, mulheres belíssimas, com seus motoristas em Mercedes último tipo, além de carros com seguranças que engarrafaram toda a Avenida Vieira Souto."

Hildegard Angel mandara uma fotógrafa, mas na hora de escolher as fotos, não conseguiu. Metade da festa era da sociedade tradicional, mas "a outra metade ninguém conhecia". Meneghine precisou ir ajudá-la.

O processo foi mais ou menos assim. "Quem é essa?", perguntava a colunista e ele ia respondendo: "Dona de uma rede de açougues." "E essa?" "Dona de uma rede de motéis." "E aquela?" "Dona de uma rede de padarias", "dona do mármore", "dona de uma rede de colégios, de uma rede de churrascarias, de uma rede de lavanderias e assim por diante".

O dinheiro mudara de mão. Sem que se tivesse percebido muito bem, novas fortunas tinham sido construídas na Barra a partir dos anos 80 e agora estavam ali cobertas de jóias e vestidas de Chanel, Valentino e Calvin Klein.

Novos personagens iriam a partir de então ilustrar as colunas sociais. Uma delas, Vera Loyola, se transformaria num ícone *kitsch* da cidade nos anos 90. Pós-moderna como o bairro de que virou símbolo, tudo nela era imprevisto – as roupas, as jóias, as frases, e principalmente a origem do dinheiro. Seu pai fizera fortuna primeiro como criador de galinhas em Jacarepaguá e depois como dono de padarias e motéis de alta rotatividade.

No sábado seguinte em sua coluna, Hildegard chamou as desconhecidas de NSE – Nova Sociedade Emergente – em oposição à AST – Antiga Sociedade Tradicional. Estava revelado o fenômeno.

"Pois bem", Kátia continuou, "foi ali, naquela festa, que flagrei o Fernando com a *perua*."

Ela já estava desconfiada da traição, mas talvez demorasse muito para descobrir, se uma amiga não tivesse falado da festa ao telefone.

"Liguei para o Fernando e ele deu uma desculpa esfarrapada: 'Essa, não, pretinha, não dá pra te levar, tenho que tratar de negócios'".

Era um *happy hour* que devia começar às 5 horas da tarde.

"Eu cheguei bem antes, me plantei na calçada defronte ao hotel e esperei. Se precisasse, eu ficaria ali a noite inteira, em pé. Alguma coisa me dizia que ele tava aprontando."

Kátia se levantou para pegar gelo para ela e mais água para mim; fiquei observando as fotos sobre uma pequena mesa no canto, ao lado do bar. Numa grande, ela aparecia com um fio-dental. Ao lado, um porta-retrato duplo com a cara de dois rapazes.

"Sabe quem são?", perguntou, voltando com o gelo e me vendo em pé diante das fotos. "Imagino, só não sei quem é quem." A semelhança era grande. "Pessoalmente eles não se pareciam tanto, eu não achava, mas as pessoas confundiam. O da direita é o Fernando. Presta atenção nos olhos: os de Ivan são olhos de invejoso."

Olhei e sinceramente não vi nada demais, mas não queria ser indelicado: "É mesmo!", exclamei.

Ela se animou: "Fernando chegava e arrasava. As mulheres se desmanchavam. O Ivan ficava louco de inveja. E não era nem que ele fosse mais feio. Como te disse, as pessoas achavam os dois muito parecidos."

"Uma ocasião, depois de um jantar na casa de um ricaço, não resisti e disse: 'Você não suporta o sucesso do Fernando, não é, Ivan?'. Ele ficou vermelho de raiva. Virou as costas e sumiu. Na hora de ir, ficamos procurando por ele e nada. Tinha ido embora de táxi."

"No caminho, contei para Fernando o incidente e ele comentou sem dar importância: 'Foi sempre assim, desde pequeno. Pelo menos, ele não destrói mais meus brinquedos.' 'Em compensação, tenta roubar suas bonecas', eu disse e Fernando fingiu que não sabia: 'É mesmo? Preciso tomar cuidado.'"

Kátia se perdeu e custou um pouco a reencontrar o fio do seu relato. "Onde é que eu estava mesmo?"

"Plantada na frente do Caesar Park", eu disse, e ela riu se lembrando.

"Não esperei muito. De repente, antes mesmo de ver, senti uma pontada no coração. Lá estava ela, descendo do carro, com motorista. Cheia de jóias brilhantes. Sozinha."

"Era pra eu ter ficado aliviada, mas alguma coisa dentro de mim não deixava. Continuei plantada. Às 7 e meia, vinte para as oito, Fernando apareceu. Desceu do táxi e entrou. Às 8 horas, ele voltava de mãos dadas com ela. Tinha ido buscar a *perua*. Aguardaram um pouquinho o carro dela e entraram."

"Depois que me tiraram dos escombros, passei anos tendo convulsões. As pessoas diziam que era epilepsia. Foi assim até os cinco anos; depois nunca mais tive. Naquela noite achei que ia ter de novo um ataque. Vim pra casa e fiquei dois dias trancada. Avisei no trabalho que estava doente e não atendia telefone. Qualquer pessoa que me procurasse, os porteiros receberam ordem para dizer que eu tinha viajado."

"Estava um trapo quando dei aquele telefonema para o Ivan. O que me manteve viva aqueles dois dias foi a bebida e a raiva. Preparei todos os planos de vingança que você pode imaginar. Eu tava com mais ódio dele do que dela. Nos meus sonhos, eu matava ele; não sei nem se ela morria."

Perguntei se eles tinham rompido logo a relação e ela disse que não. Fernando, segundo ela, tinha sido sórdido. Mentiu, fingiu e procurou manter as duas, ela e a outra, por quase dois anos. É bem verdade que com o conhecimento de Kátia. Acho que ela estava disposta a tolerar tudo, menos o abandono.

"Ele dizia que não gostava da *perua*, que só queria a grana dela, que continuava me amando, essas mentiras que todo homem diz quando engana duas mulheres. Mas pensando bem, foi graças a essas mentiras que fui feliz com ele tanto tempo."

Na verdade, o amante continuou interessado, mas ela, pelo que contou, ficou muito amarga; o prazer físico era mero pretexto para o prazer maior de atormentá-lo com seu ciúme.

"Muitas mulheres têm que fingir que gozam. Pois eu fazia o contrário: procurava fingir que não sentia mais nada por ele."

Essa indiferença simulada desnorteava Fernando. "Ela quase morre de prazer", ele se queixava para Kátia, "e você cada vez mais fria." "Mesmo sem querer, ele me fazia sofrer ao dizer isso. Eu não suportava a idéia de que a *perua* tinha mais do que eu tinha."

"Mas você não tinha porque não queria, ou porque fazia força para não querer", intervim.

"Mas eu não tava interessada em ter; eu não queria é que ela tivesse. Isso é que me fazia sofrer."

Eu ri e Kátia não entendeu. "O que foi?"

Expliquei que, provavelmente sem nunca ter lido um livro sobre a inveja, ela acabava de dar uma definição clássica. "Você sabia que inveja é não querer que o outro tenha?"

"Ah, é?", ela quis saber mais: "Quer dizer que aquele ódio que eu tive era inveja?"

"Era ciúme também, claro", respondi.

"E qual é a diferença?"

"No ciúme, você não quer perder o que tem", expliquei.

Ela parou, pensou um pouco e concluiu: "É, então era mais inveja mesmo."

O telefone tocou, ela atendeu e disse que já estava pronta, que ia direto. Virou-se para mim e se desculpou: "Tenho que ir para o almoço."

Era no meu caminho e me ofereci para levá-la.

Na porta da casa de Vera Loyola, Kátia insistiu para que eu entrasse "um pouquinho".

Fiquei curioso porque naquela semana Vera invadira o meu campo de trabalho ao insinuar que Carmem Mayrink Veiga, a rainha da sociedade tradicional, estava sentindo inveja dela.

"Não tem importância, ela é o passado e eu sou o presente", disse, ao saber que Carmem se recusara a posar para uma foto com a rival. Na falta de melhor assunto, os jornais do Rio haviam dado destaque à briga das duas.

"Espera um momentinho", Kátia pediu, "não vai embora não, por favor."

Daí a pouco, eis quem aparece no portão, junto com Kátia e sua amiga? A própria Vera, exigindo a minha entrada. "Nem que seja por um instante, é uma honra."

Imaginei o engano. Vera era leitora cativa de dois colegas colunistas do *Jornal do Brasil*, Artur Xexéo e Tutty Vasques. Não seria a primeira vez em que eu ia ser confundido com um deles.

Qual não foi minha surpresa quando, em vez de me chamar de Xexéo, ela disse meu nome. Ou quase, porque operou uma pequena troca, colocando um *m* no lugar do *n*: Zuemir. Mas o que era isso, senão um insignificante detalhe, numa ocasião histórica como aquela?

Ao entrar, não consegui esconder minha decepção. Tinha me preparado para uma casa monumental, como estava acostumado a ver nas novelas e na revista *Caras*. Pois estava diante do que decididamente não era uma casa emergente!

Entrava-se praticamente pela piscina, que não deixava muito espaço em volta, a não ser para um estreito deque à direita e uma passagem do lado esquerdo. Não se precisava andar muito para chegar à varanda, onde terminava a piscina e por onde começava a construção, em estilo neocolonial.

Eu precisava manifestar minha primeira impressão à anfitriã, e disse algo como "sua casa é simpática, discreta". Ela caiu na gargalhada.

"Você tá querendo dizer que não é uma casa de emergente, não é?"

Vera também estava discreta, se não fossem os dois brincos enormes de ouro, em forma de coração. Vazados, eles formavam uma rima rica com um outro coração, esse maciço, pendurado no pescoço por um grosso cordão. Elogiei a jóia. "Vai se acostumando. Aqui todas usamos, não temos problema de assalto."

Enquanto começava a me mostrar a casa, Vera lamentou que eu não tivesse estado entre as 600 pessoas que compareceram ao seu aniversário no ano anterior. "O Éder botou um toldo branco que ia até a rua. As pessoas saíam do carro e vinham andando sobre tapetes persas. Depois disso, toda festa que eu vou tem tapete persa no jardim."

Agora, já estávamos na sala. Na parede da direita, coberta de quadros, uma imagem predominava. Vestida num tomara-que-caia de veludo negro, com um vistoso broche no peito, lá estava ela: Vera. "É do Martinolli, um grande pintor emergente aqui da Barra", me informou.

Fomos passando por outras obras: porcelanas chinesas, imagens antigas de santos, um Bianco – "com pinceladas de Portinari, quando era seu aluno", ela me ensinou.

Em seguida, me convidou para subirmos uma pequena escada que terminava num *hall*. Na parede de frente, uma rainha loura, com coroa, bastão e cetro ria para mim. "Esse é de Liana Gomes, uma grande pintora daqui. Como é mística, me fez rainha com toques de Iemanjá."

Havia ainda um outro retrato que não pude ver direito. Uma cachorrinha mínima, mas com um latido estridente, começou a incomodar tanto – "essa é filha mesma, é a Pepezinha" – que eu preferi deixar a gracinha latindo sozinha.

Ao descer a escada, reparei nos tapetes espalhados pelo chão e Vera disse muito naturalmente: "Tapete é cultura. Cada um deles é de uma região." Aproveitou para desfazer a lenda de que gostava tanto que os usava até nos carros.

"Tínhamos um tapete que quando ficou puído minha mãe propôs que não jogássemos fora, porque dava sorte, mas cortássemos em pedaços e puséssemos nos carros. Aí o pessoal foi dizer que eu rasgava tapete persa, que era uma ignorante."

Voltamos afinal à varanda onde as pessoas se espalhavam em grupos pelas quatro ou cinco mesas. Vera me apresentou como um escritor pesquisando sobre a inveja e recebi algumas exclamações de apoio: "Que interessante! Sobre a inveja!?".

Uma loura desinibida e intelectualizada que eu acabara de conhecer resolveu puxar conversa me dando algumas lições de Barra e de pecado.

"Graças a Deus, na Barra não é pecado ter desejo. Psicanalista aqui morre de fome. Não temos remorso nem culpa", ela foi logo me chocando.

"Mas me informaram que a Barra é uma fogueira de inveja", comentei.

"Fogueira não", ela me corrigiu, rindo, "fogueira queima de uma vez; se é de inveja, é forno, que assa." A piada não deixava de ser inteligente. "Para nós, a inveja é quase uma virtude. Sem cobiça e sem inveja, a Barra não teria sido construída. Nossa igreja é o *shopping center*, nosso terreiro é a praia."

Vera Loyola interveio: "Já que vocês estão falando de inveja, vou anunciar o meu novo lema: os invejosos que me desculpem, porque agora é a minha vez de brilhar."

Junto com o lema, ela contou que desenvolvera uma estratégia contra o mau-olhado: "Procuro não tomar conhecimento do invejoso, mas, quando não consigo, tento desarmá-lo." Por exemplo, quando alguma amiga telefona para prestar-lhe falsa solidariedade do tipo "estou indignada com o que fulano publicou sobre você", ela retruca contrariando-a: "Você interpretou mal. Ele está me promovendo e isso é ótimo pra mim, fica tranqüila."

"Você viu hoje? Te chamou de *perua*!", diz outra amiga.

"Mas eu sou *perua* mesmo; *perua* pra mim é o máximo." (Dei uma olhada para Kátia, que estava na mesa ao lado com a amiga e ouviu a declaração de Vera, ficando meio sem graça, ela que vivia falando mal de *perua*.)

Vera tem defesa para cada investida invejosa. Para a falsa sincera, a que lamenta "você não estava bem naquela foto, o rosto estava muito enrugado", ela responde: "Mas também não tenho idade para estar tão lisa assim, não é, meu bem?".

Éder Meneghine se aproxima da mesa e as atenções se voltam para ele.

Com um sinal, chamo Kátia para apresentá-la. Ao ouvir que a jovem era da Baixada, ele lhe dá um conselho: que ela se orgulhe de suas origens.

Não devia fazer como Romanelli, que "ficou enlouquecido" porque o livro *Os emergentes da Barra* divulgou que o pintor viera de Caxias e começara a carreira vendendo quadro na feira hippie. "Ele nunca mais falou comigo. Não percebeu que o que eu disse deveria ser motivo de orgulho para ele."

Expliquei para Éder que Kátia não tinha ido à "festa das 400", mas vira a entrada. "Então você é testemunha do espetáculo: aquelas mulheres maravilhosas, cheias de jóias brilhando à luz do sol poente!"

Perguntei se um decorador com tanto sucesso não atraía muita inveja e como ele se defendia.

"A partir do momento em que meu sucesso foi alcançando patamares, fui me defendendo através da proteção de minha própria aura e de um escudo energético que eu mesmo criei estudando neurolingüística. A inveja é a exploração de nosso campo magnético por outra pessoa. O invejoso capta de você o máximo."

Olhei o relógio e levei um susto. Vera queria ainda que eu ficasse para ver uma das atrações da casa: o crepe suzette que o marido fazia e servia com pompa e circunstância.

Me desculpei, já era tarde e eu estava satisfeito – com o almoço e a frase lapidar que a anfitriã me ofereceu: "O verdadeiro amigo é aquele que suporta o seu sucesso."

Cólera que espuma

Eu já tinha um título para o livro, quando uma amiga, Norma Pereira Rego, resolveu me sugerir outro. O meu, *Uma triste paixão*, era inspirado na história de Kátia e nas várias definições que associam a inveja com tristeza e paixão. O de Norma me foi apresentado por ela quando alguns amigos íntimos comemorávamos o seu aniversário no bar da livraria Bookmakers, na Gávea. Entre um e outro copo de vinho, ela me entregou um envelope. "Abre, que aí dentro está o título do seu livro." Abri e vi uma página impressa em computador, toda arrumadinha, colada a uma folha de papel mais grosso, preto. Era um soneto de Raimundo Corrêa, conhecido de toda a nossa geração quando jovem:

Mal secreto

Se a cólera que espuma, a dor que mora
Na alma e destrói cada ilusão que nasce;
Tudo o que punge, tudo o que devora
O coração, no rosto se estampasse;

Se se pudesse o espírito que chora
Ver através da máscara da face,
Quanta gente talvez que inveja agora
Nos causa, então piedade nos causasse.

Quanta gente que ri, talvez, consigo,
Guarda um atroz, recôndito inimigo,
Como invisível chaga cancerosa!

Quanta gente que ri, talvez existe,
Cuja ventura única consiste
Em parecer aos outros venturosa!

Não disse nada, mas como Norma tem personalidade forte e impositiva, meu impulso inicial foi de resistir à sugestão.

Agradeci, guardei o envelope e não pensei mais no assunto, pelo menos até o dia seguinte, quando acordei com o título da Norma na cabeça. Repeti quase todos os versos de cor e me dei conta então de que era um poema não sobre, mas contra a inveja.

Raimundo Corrêa descreve um processo ambíguo: o do invejado que não merece sê-lo. Os versos revelam um mecanismo de defesa contra o tormento do invejoso. Ele tende sempre a se desvalorizar e a idealizar o objeto invejado.

Esse princípio de que quem se esforça para despertar inveja é também invejoso – essa ventura única que consiste em parecer aos outros invejável – já tinha aparecido em textos e entrevistas. Há vários provérbios russos com esse mesmo sentido citados por Helmut Schoeck em *L'envie*. "A inveja transforma uma folha de grama em palmeira"; "no olho do invejoso, um cogumelo vira palmeira"; "o olho invejoso faz de anões elefantes".

Embora o poema não desse conta de toda a complexidade da inveja, seu título me parecia, a cada dia que passava, melhor do que o meu. Talvez para não dar o braço a torcer, esperei algumas semanas até que finalmente anunciei à minha amiga: "Lamento te dizer que o livro já tem um título." E quando ela já ia protestar, completei: "O seu."

Norma vivia me dando sugestões. Num de seus telefonemas, perguntou: "Você conhece o conto 'Labaredas nas trevas', do Zé Rubem? Está no *Romance Negro*. É a melhor coisa escrita no Brasil sobre o tema."

Nos anos 60, ela foi a primeira de seu grupo a descobrir José Rubem Fonseca como extraordinário escritor.

Interrompo o que estava fazendo e pego na estante o livro. Olho no índice, é o segundo conto. São apenas seis páginas. "Fragmentos do diário secreto de Teodor Konrad Nalecz Korzenowiski" é o subtítulo. Leio de uma vez.

Konrad registra no seu "diário" a inveja que sente pelo jovem escritor Crane. Além da invejável economia de linguagem, impressiona também o fato de a palavra inveja não precisar aparecer escrita em nenhum momento, embora o sentimento esteja pulsando em todo o texto.

Ligo para Norma em seguida e, mordido de inveja, digo que preferiria que ela não me tivesse mandado ler o conto.

Naquela tarde eu ia gravar uma entrevista com uma astróloga que Norma me indicara, Ana Graziela. Peço-lhe então alguns dados sobre a entrevistada. Ela me conta dois casos.

"Em 73, eu estava casada com o Leon (Hirzman), quando procurei a Graziela. Lá pelas tantas, não sei por que, ela disse: 'Quem tem sol na casa nove viaja.' 'Menos eu', brinquei. Ela então olhou meu mapa e garantiu: 'Dentro de uma semana você viaja.' Achei graça porque estávamos completamente tesos e não tínhamos a menor condição de viajar. Quando se completou uma semana exata de sua previsão, meu irmão me telefonou oferecendo uma viagem que ele tinha ganho mas não podia ir."

A outra história é trágica. "Ela soube e disse a Lena (Chaves) que o marido dela ia se suicidar. Pouco depois isso ocorria."

Vou para Copacabana esperando encontrar uma bruxa atrás de uma bola de cristal dizendo coisas como essas, e sou recebido por alguém que cita Melanie Klein, Jung, Freud, Chaucer e Shakespeare.

Graziela tem na mão um texto que preparou sobre a inveja. É uma síntese conceitual do que leu sobre o tema, quase um ensaio. Mas além da reflexão teórica, tinha também histórias de sua experiência como astróloga e terapeuta de regressão a vidas passadas. Uma delas era a de um cliente "riquíssimo", de 40 anos, dono de um Mercedes-Benz, que entrou em crise quando o colega da Bolsa de Valores comprou um BMW.

"Aquilo o magoou tão profundamente, a inveja foi tamanha que teve vontade de destruir o outro. Não parava de perguntar: 'Como é que ele conseguiu?', 'Por que ele conseguiu?'. Sentia-se diminuído, humilhado."

Pergunto se ele resolveu o problema, ela não sabe, ele sumiu. "Vinha aqui para ver se conseguia ganhar dinheiro para comprar o raio do BMW." Ou para destruí-lo. Se alguém algum dia encontrou um BMW novinho, mas todo arrebentado, imprestável, já sabe o que aconteceu.

O caso seguinte foi tratado com sessões de regressão. Era um senhor que sofria de dor crônica no estômago; já tinha ido a vários médicos e nada. "Não conseguia comer e quando comia não conseguia reter os alimentos. As evacuações eram constantes. Era uma desgraça a vida dele."

O seu filho, ao contrário, era um empresário feliz e bem-sucedido e, por isso mesmo, objeto de uma inveja do pai doentia, fonte de todo o seu sofrimento físico. Um dia, aos prantos, o velho desabafou: "Não consigo suportar o sucesso do meu filho, odeio ele, morro de inveja quando alguém o elogia." Aqueles elogios que costumam fazer o orgulho de um pai, no caso, eram motivos de cólera e infelicidade. A sua impotência invejosa era somatizada naquela dor de estômago incurável.

E por que tanto ódio, tanta inveja? Um mergulho numa de suas existências passadas teria revelado, segundo Graziela: "Numa outra vida, ele era o senhor de um feudo e esse filho era o noivo da atual mulher dele."

É uma trama intrincada e, se entendi direito, quando os noivos quiseram se casar, o senhor feudal exigiu a primeira noite. O jovem então matou quem viria a ser seu pai, por causa daquela que seria sua mãe. "A triangulação amor-ciúme-ódio daquele tempo veio se completar com a inveja nessa vida."

A história parece uma parábola bíblica da inveja, que está presente em todos os capítulos desse folhetim, inclusive no inicial, quando se assiste à inominável tentativa de um déspota querendo exercer o direito feudal à primeira noite. Porque, o que estava em jogo nessa cerimônia de usurpação não era, como explicou a astróloga, "o amor, nem mesmo desejo de posse; era só vontade de humilhar, de destruir. 'Agora, que já estraguei, fica com ela que não quero mais'".

Descoberta a causa, a terapia foi rápida e eficaz. Cessaram todas as dores – de estômago e das mordidas de inveja. "Finalmente, pude me reconciliar com meu filho, estou em paz.."

Graziela não sabe o que foi feito do triângulo, mas tudo indica que tenham sido muito felizes: o pai, que invejava o filho; o filho, que há muito quis matá-lo por causa da noiva; e a noiva que veio a ser sua mamãe.

Uma pena que Nelson Rodrigues tenha morrido sem conhecer essa história.

Parecia enfarte

Na manhã em que Ivan trouxe o "filtro do amor", como dizia, para que Kátia misturasse à comida de Fernando, um pouco cada dia, ela estava de mau humor e no início se recusou. "Não vou botar não, Ivan", foi a primeira reação. Mas ele se armara de paciência, e acabaria por convencê-la, sabia que ela se comprazia em ser relutante, gostava de ser do contra. "Você não quer ele de volta, Kátia? Você acha que Vó Lucinda ia preparar alguma coisa pra fazer mal?" Kátia se calou. "Vamos fazer uma coisa", ele então propôs e ela ficou curiosa. "Você vai botar o pó durante três dias e vai ver se nota diferença. Se..." Ela não o esperou terminar: "Que diferença?". "Ah, você sabe", ele disse com segundas intenções. "Se não notar nenhuma diferença, a gente não fala mais no assunto."

Ela começava a se interessar pela idéia. Mais seguro, ele continuou. "Amanhã você vai botar a primeira dose no almoço dele; na quarta-feira, a segunda, e na quinta, a terceira." Kátia prestava atenção. "Se entre sexta-feira e domingo", falou pausadamente, repetindo, "se entre sexta e domingo ele não te procurar, você joga fora o remédio, conta pro Fernando, faz o que você quiser."

Kátia prometeu pensar. Na verdade, já estava convencida, não via nenhum inconveniente, mas queria um pouco mais de tempo.

"Esse pó.... o remédio, tem gosto?", ela quis saber. Ele respondeu que não. "É uma poção de Vó Lucinda, vai dizer que você nunca usou?"

"Já usei na água de banho, já passei no corpo, mas nunca tomei, nem dei pra ninguém tomar."

"Mas todo mundo vai lá pra tomar, você não se lembra?"

Kátia se lembrava. Eram muitas as histórias e lendas que desde criança se acostumou a ouvir no terreiro em que fora criada. Mulheres que iam agradecer o "trabalho" que lhes restituíra o amante. Namorados perdidos que voltavam a se apaixonar, maridos que depois de anos abandonavam a "outra" e regressavam ao lar.

Aquele cordão de ouro que não saía de seu pescoço, ela não se recordava?, era o "presentinho" que uma cliente rica da Zona Sul lhe dera quase que como gorjeta, pois o presentão fora para dona Lucinda, uma televisão em cores, a primeira que teve, além do pagamento em dinheiro.

Até que era um caso parecido com o seu, só que ao contrário. A senhora bonita e bem vestida já tinha perdido a esperança de reconquistar o seu amor (no caso, ela era a "outra" e fora trocada de novo pela esposa). Algumas idas ao Centro de dona Lucinda na Baixada, uma promessa de boa recompensa, e pronto: operou-se o milagre. A felicidade voltou a lhe bater à porta.

E depois Kátia era chegada a um feitiço: a toda hora invocava São Cipriano, seu protetor, vivia falando de mandingas e orações. Havia uma, da "Cabra Preta Milagrosa", que ela garantia ser infalível.

Antes de se encerrar o expediente, Ivan ligou pelo telefone interno e perguntou: "E aí?". Kátia queria dar um telefonema antes.

"Amanhã te dou a resposta."

Esperou todo mundo sair e ligou para o Centro. Dona Lucinda não precisou de muito tempo para fazer o que na verdade Kátia queria: ser convencida. A velha não entendia a hesitação da moça, inclusive porque, ao realizar uma *vidência*, percebera a ameaça que pairava sobre ela de perder o namorado. "Tá todo mundo pensando em você, no seu bem e você fica nessa ensebação!", se aborreceu.

No dia seguinte, Ivan chegou antes. "E aí?", perguntou ansioso quando viu Kátia. Ela fez com o polegar para cima que estava tudo bem. "Então peraí um instantinho", e foi depressa à sua sala. Voltou com a mão direita fechada e abriu em cima da mesa: "Tá aqui."

No fim da manhã, como fazia sempre, Kátia foi até a cozinha realizar sua inspeção. Cozinhava-se ali para os 30 funcionários da empresa e ela cuidava de tudo. Como gerente-operacional, era responsável por todos os serviços internos.

Fernando, quando comia fora, botava a maior banca, pedia os pratos mais extravagantes. Mas no dia-a-dia gostava mesmo era de feijão e arroz. Podia variar o acompanhamento – carne, couve, ovo, peixe – mas a base era sempre aquela. Mantinha-se fiel às suas origens.

Ai de quem deixasse faltar o seu "feijãozinho"! Uma ocasião, Kátia estava de férias, ele demitiu a cozinheira que esqueceu de mandar renovar o estoque do seu prato predileto. A partir de então, ela mesma é quem preparava a cumbuca de feijão e a tigela de arroz.

Naquela segunda-feira, ela se sentia ansiosa quando voltou à cozinha na hora do almoço. "Essa comida tá com bastante sal?", perguntou, pegando a concha e enchendo a vasilha com o caldo de feijão quentinho e cheiroso.

Olhou em volta, a cozinheira estava de costas dando uma ordem para as duas ajudantes. Disfarçou e jogou o pó do envelope dentro da cumbuca, como se fosse um punhado de sal. Mexeu, pegou um pouco com a concha, soprou até que esfriasse um pouquinho e provou. Deixou demorar alguns segundos na boca e engoliu. Não havia nenhuma diferença de gosto.

Nos dois dias seguintes, repetiu o ritual com naturalidade. Na quarta, ainda deu uma provadinha, mas na quinta nem precisou mais.

"Na sexta-feira", ela fez uma pausa, "na sexta-feira", repetiu e começou a rir, "você não vai acreditar." Minha vontade era acreditar em tudo desde que prosseguisse. "Continua, Kátia."

"Acredite ou não, vou contar como aconteceu. Na sexta à tarde, Fernando me telefonou e disse que ia fazer serão, precisava que eu estivesse no escritório, 'se fosse possível', completou cheio de delicadeza."

Desde a última briga, ele não lhe dirigia a palavra. Passava pela mesa dela e nem olhava. Quando queria alguma coisa, mandava recado pelo *boy* ou pela telefonista.

Ivan avisara que ia sair mais cedo, tinha um compromisso no clube ou coisa parecida.

Mais ou menos às 9 horas, Fernando chamou Kátia à sua sala e perguntou se ela não queria sair para jantar com ele.

"É um convite ou uma ordem do patrão?", ela hesitou, fazendo-se de difícil. Ele riu, transpirando charme, e respondeu que era convite – "ou melhor, um apelo". Ela sorriu descrente.

"No jantar, você não vai acreditar, mas eu estava diante de um outro homem. Me devorava com os olhos, parecia a primeira noite no clube, quando me seduziu. Por duas vezes, deixou escapar 'pretinha', e logo pediu desculpa, só para eu dizer 'não tem de que, imagina', mas eu não disse nada. Poucas vezes vi ele tão simpático e agradável. Minha vontade era pular por cima da mesa e cair em seus braços aos beijos. Aí me lembrava da *perua* e me segurava. Ele percebeu, me conhecia como ninguém: 'Você não perdoa, hein, pretinha!'. E eu: 'É isso mesmo.'"

"Tudo fingido. Não sei como consegui resistir aquela noite. Acho que foi porque bebi pouco. Me dizia como uma jura: 'Haja o que houver eu não posso ir pra cama com ele hoje.' Se queria ter ele de volta, não podia ceder fácil, ele tinha que me reconquistar."

"Você tem visto o Ivan?", Fernando perguntou de repente e Kátia teve um sobressalto. Será que ele desconfiava de alguma coisa?

"Claro, todo dia."

"Não se faz de engraçadinha não, estou perguntando fora do escritório."

"Não, por quê?"

"Por nada, ele continua o mesmo." Fernando comentou como se estivesse pensando alto.

Kátia conhecia aquele jeito de falar. "Quando ele me sacaneava e sumia, eu matava ele de ciúme saindo pra jantar com Ivan. Não acontecia nada, mas eu nunca deixava ele ter certeza. Eu jogava indiretas, insinuava coisas, deixava ele cheio de desconfianças. E aí o bobo voltava correndo, sempre."

Interrompi: "Ele tinha tanto ciúme assim do Ivan?". Ela: "Só tinha dele." Eu: "Não entendo." Ela: "Ele dizia que se um dia eu transasse com Ivan, ele me matava. Era da boca pra fora, nunca faria isso, mas a verdade é que tinha muito ciúme."

Fiquei curioso do papel de Ivan nisso tudo. "Você não tinha medo que ele contasse pro Fernando que vocês transaram?"

Ela não me pareceu preocupada. "Você não conhece o Ivan. Ele não tinha coragem de enfrentar o Fernando pela frente, não olhava nos olhos. Era covarde. Hoje eu acho que a única coisa autêntica que ele tinha pelo Fernando era inveja. Ele é que você devia entrevistar para seu livro se...", ela mesma fez a correção, "se ele não fosse tão falso, se fosse confessar alguma coisa."

"Mas pelo visto, ele gostava de provocar ciúme em Fernando", observei.

"Ah, sempre. Quando a gente jantava juntos, ele dava um jeito do Fernando saber."

"Então?"

"Provocar ciúme é uma coisa, contar que a gente transou é outra, ele não tinha coragem. Além do mais, ele achava que, em segredo, a traição era maior."

Kátia continuou seu relato.

"Fernando confessou que estava em crise – profissional e pessoal. 'Você é a única pessoa com quem posso me abrir, a única em quem confio.'"

Explicou longamente as dificuldades da firma, as dívidas, os negócios malfeitos e a necessidade de obter novos recursos.

"Aí ele se debruçou por cima da mesa e chegou bem pertinho de mim, eu sentia o seu hálito, tive vontade de beijá-lo. 'Você é madura pra muitas coisas, mas criança para outras', me disse, olhando nos olhos. 'Na vida, a gente não faz só o que quer, às vezes é obrigado a fazer o que não quer. Um dia você vai entender.'"

"Eu sabia do que estava falando. Ele já tinha me confessado que, 'se casasse', ia ser por interesse. Ele me julgava uma ingênua, uma boboca, mas nisso eu sabia mais do que ele. O que me matava de ciúme não era ele casar por interesse, mas era saber que cada vez mais ele estava gostando da idéia de casar por interesse. Afinal, a *perua* não era de se jogar fora. Com a grana que tinha então! Ele falava que era por obrigação, mas tava na cara que já era por prazer."

Kátia ficou irritada. "Não vou entender nunca. Você quer que eu aprove o seu casamento, com a desculpa de que é para salvar a firma."

"Não quero discutir isso agora, Kátia, não quero que você brigue comigo hoje."

Disse isso de um jeito tão terno, que Kátia teve medo de que ele percebesse que ela também se enternecera. Usou o tom de voz mais neutro que conseguiu e falou: "Não vou brigar com você não, Fernando, fica tranqüilo." Ele sorriu satisfeito. Devia estar pensando que aquela frase começava a abrir as portas que levariam a uma longa noite de prazer. Ela deu um corte abrupto: "Foi muito bom a gente se encontrar, mas amanhã tenho que acordar cedo, vamos embora."

Ela ri se lembrando da cara de decepção dele e do seu próprio cinismo. "Imagina se eu alguma vez deixei de transar com ele porque tinha que acordar cedo. O normal era não dormir para transar."

Kátia não dormiu aquela noite. Rolava na cama, se remexia, o lençol estava pegando fogo, ou era seu corpo? Mas o ar não estava ligado? Quando conseguia fechar os olhos, a impressão era de que Fernando estava ali ao lado, onde estivera tantas vezes, com seu suor, seu calor, com o perfume francês que usava sempre.

Ela estava se empolgando e eu resolvi intervir antes que mais uma vez o pecado da luxúria baixasse sobre ela. "Se você não se importar, Kátia, pode pular os detalhes mais picantes."

Ela abriu uma daquelas raras gargalhadas a que já me referi. E prosseguiu.

"Fui até o banheiro, tomei uma boa ducha e me sentei na sala. Tive então uma maravilhosa sensação: eu parecia estar acordando de um pesadelo e entrando dentro de um sonho verdadeiro. 'Ivan tem razão!', tive que admitir. 'Nando tá voltando, o pó tá fazendo efeito! Ah, meu São Cipriano!'."

"Que milagre, hein?", comentei e ela fingiu se aborrecer. "Pode debochar, mas quero ver você explicar. Tudo aconteceu como o Ivan disse que ia acontecer. Que entre sexta e domingo..., enfim, o que eu te contei. Aí veio sexta, teve o jantar, ninguém me contou não, eu vi, eu vivi. Ele tinha se transformado. Há quantos meses ele mal olhava pra mim? Como é que você explica?"

Kátia estava realmente convencida de que tudo aquilo fora efeito da "poção mágica". Eu não tinha o que lhe contrapor: nenhum fato, nenhuma suspeita, pelo menos na hora. Ia dizer o quê? Não assistira à cena, o que sabia era por ouvir dizer, nada, portanto, a declarar.

"Como é que Fernando morreu?", pude fazer enfim a pergunta que me perseguia.

"Espera aí", Kátia pediu. "Antes quero contar o que houve em seguida." Achei que ela tinha razão.

"Na segunda de manhã, Ivan passou pela minha mesa e perguntou: 'Tudo bem?'. Só disse isso e riu. Mais nada. Eu conhecia aquele risinho cínico, aquele jeito de perguntar, aquela maneira de passar rápido, tamborilando os dedos sobre a minha mesa. Não respondi. Antes de entrar na sala, virou-se ainda com a mesma cara sem-vergonha e disse: 'Precisamos conversar.'"

"Não sei como, mas ele deve ter sabido que eu e Fernando nos encontramos. Sempre sabia. Aliás, um sempre sabia quando eu saía com o outro. Nunca descobri como sabiam."

"De noite, o expediente já tinha terminado, Ivan parou rapidamente diante de minha mesa e informou: 'Na semana que vem vai ser preciso repetir. São as doses de reforço. Vó Lucinda está preparando.' E se despediu: 'Beijo, até amanhã.'"

"Na segunda-feira..." – Kátia ia prosseguir, eu interrompi: "Entre uma segunda e outra, passou-se uma semana; não houve nada de importante?" – "claro, claro", ela se lembrou, "fui jantar de novo com Fernando. Isso depois de vários bilhetinhos amorosos que um dia te mostro."

"Acho que sem perder muita coisa", eu é que sugeria agora, "a gente podia pular logo para o quarto, não acha?"

Ela riu. "Você tem razão: o novo jantar foi só um pretexto. Também, não sou de ferro, já tinha resistido muito."

Na noite do jantar, Kátia disse que estava muito impressionada com uma notícia saída em todos os jornais. Aliás, não só ela, mas todo mundo. Com uma faca de cozinha, a jovem estudante J.G.G.S., de 17 anos, decepara o pênis de seu ex-amante João Carlos Mattos Faria, de 26 anos.

O crime ocorrera num motel da região metropolitana de Vitória e chocara o país. O rapaz levara a moça para um encontro de despedida antes de terminar o romance. Deu a notícia do rompimento, fizeram amor a noite toda e quando João Carlos, exausto, adormeceu, J. pegou uma faca e cortou o mal pela raiz, como se diz.

Pouco depois, ela mesma levou a polícia ao terreno baldio onde jogara a peça cortada, recuperando-a em condições de ser reaproveitada, desde que bem recauchutada.

"Acho que aquela noite você teve vontade de fazer o mesmo com ele, não?", provoquei, achando estranho tanto interesse pelo assunto.

"Deus me livre", ela exclamou, e um sorriso maroto disfarçava a mentira.

"Pra dizer a verdade, tive vontade sim. Tive antes, quando aquela gringa fez o mesmo com o homem dela lá nos Estados Unidos. Se lembra?, os jornais deram. E tive nessa noite também."

Kátia contou então que a idéia lhe ocorreu porque teve o pressentimento de que estava prestes a perder o amante.

"Naquela noite nós não dormimos, fizemos amor o tempo todo. Não sei nem quantas vezes gozei, acho que não vou ter outra noite igual na vida. Até hoje fico excitada, só de lembrar."

"Então, não lembra, Kátia, pula esse trecho", aconselhei.

"Depois ele caiu para o lado, parecia morto, de barriga pra cima, com aquele pedaço do corpo que eu mais gostava jogado para o lado, em repouso."

Ele disse que estava sendo pressionado para casar, que cada vez ficava mais difícil se encontrarem, mas que ela tivesse paciência, depois tudo se ajeitaria.

"Fiquei algum tempo olhando para o que eu ia perder e pensei em ir à cozinha pegar uma faca. Ele nem ia desconfiar. Eu tinha por costume acordar ele fazendo carinho, beijando, até ele se animar de novo. Eu podia ter feito isso e, de repente, zap, cortava."

"E por que não fez?"

"Porque era uma maldade e eu não gosto de violência", ela respondeu ofendida, como se a pergunta fosse um absurdo. "Ele ia sofrer muito."

"Você nunca ouviu falar no Freud?", perguntei.

"Aquele médico de sexo? Já."

"Ele garantia que a mulher sente inveja do pênis do homem."

"Esses médicos não têm mais o que inventar."

"Vai dizer que você nunca sentiu inveja de pênis?", perguntei e ela riu, acho que mais do que ia responder do que da minha pergunta.

"Imagina! Não quero pênis pra mim, quero é que usem em mim, como o Fernando fez aquela noite."

Na segunda de manhã, Ivan chegou mais cedo, não havia ainda quase ninguém no escritório. Meio misterioso, disse a Kátia que tinha havido um pequeno atraso, mas que no dia seguinte as novas doses estariam lá.

"De fato, na terça, ele foi à minha mesa e me entregou um embrulho com três pacotinhos numerados: 1, 2 e 3."

" 'Não vai errar a ordem, hein!', recomendou, e eu tive vontade de esganá-lo. Ele tinha mania de me achar com cara de idiota."

"Por que mais essas doses?", ela quis saber. "Já te disse, são as doses de reforço", ele repetiu, acrescentando que tinham que ser tomadas na ordem crescente para que o efeito fosse gradual. "Com aquele risinho indecente que eu odiava, ele falou: 'Se a primeira série já fez efeito, imagina essa!'." Em seguida, Ivan deu mais detalhes: "É simples, você usa as novas doses na quarta, na quinta e na sexta-feira, e vai ter o Fernando definitivamente de volta."

Kátia só pensava em reconquistar o amante, usaria quantas doses Ivan mandasse. No almoço de quarta, fez a primeira aplicação.

"Na quinta, Fernando almoçou e foi para sua sala dar uma cochilada, como fazia sempre. A gente já sabia que na hora seguinte devia dizer no telefone: 'Está em reunião, não pode atender.'"

"Eram 2h30, a diretoria tinha acabado de almoçar a uma e pouco, quando a porta da sala do Fernando se abriu. Ele botou a cabeça ofegante pra fora e me chamou: 'Pretinha, vem cá, corre.' Eu voei."

"Alguma coisa me disse que ele estava morrendo. Era uma idéia maluca – pouco antes Fernando estava ali, ótimo, saudável. Vó Lucinda disse que eu sempre tive pressentimento, que eu sou médium. Acho que sou mesmo. Quando vi Fernando na porta, tive certeza que era a última vez, nunca mais ia ter ele."

"Entrei e ele estava andando de um lado para o outro, angustiado. 'Estou enjoado, estou com palpitação', reclamava. 'Calma, amor', eu disse e peguei ele pelo braço levando até a cadeira. Ele afrouxou a gravata, desabotoou a camisa, não adiantou: 'Tou ficando sem ar, tou com enjôo, chama o médico.'"

"Procurei acalmá-lo, rezei a oração do Anjo Custódio, a preferida de São Cipriano: 'Em louvor das cinco chagas de meu Senhor Jesus Cristo e do Anjo Custódio; das treze varas de Israel dizei-me o que significa uma.'"

"E continuei rezando enquanto acariciava ele: 'Fica quietinho, meu amor, você vai melhorar.'"

"Abri a porta e pedi aos gritos que chamassem o médico. Foi um rebuliço no escritório. A primeira pessoa a chegar foi o Ivan. Mandou que eu ficasse calma: 'Pára de histeria, Kátia, vai tomar um copo d'água.' Eu mandei ele à merda. O Nando passando mal e ele falando em copo d'água. 'Chama um médico depressa!', eu ordenei."

"Ivan saiu procurando o número do telefone e eu fiquei do lado de Fernando. Ele estava sentado, com a gravata frouxa e a camisa aberta. Não tinha posição, se virava, ofegava."

"De repente, ele pareceu calmo. Botei a cabeça no peito dele e comecei a chorar. Ele já estava morto, ninguém precisou me dizer."

"O médico demorou. Acho que só chegou para dar o atestado. Pegou o pulso e aí já não vi mais nada."

Perguntei de que ele tinha morrido.

"Acho que foi enfarte ou síncope, sei lá, o médico falou, mas eu não ouvia direito, eu estava desnorteada. O Ivan me disse depois que foi enfarte. Muitas vezes já tive vontade de me suicidar, mas nunca como naquela tarde."

Quando acabou de me descrever a morte, Kátia caiu no choro. Preferi deixá-la sozinha. Dei-lhe um beijo na testa e disse: "Se precisar de alguma coisa, sabe que pode ligar."

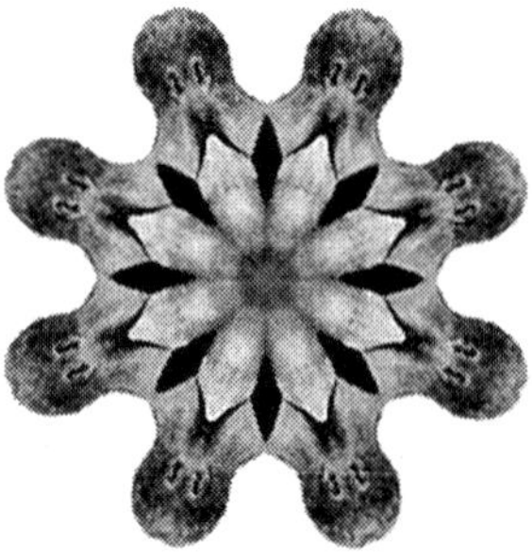

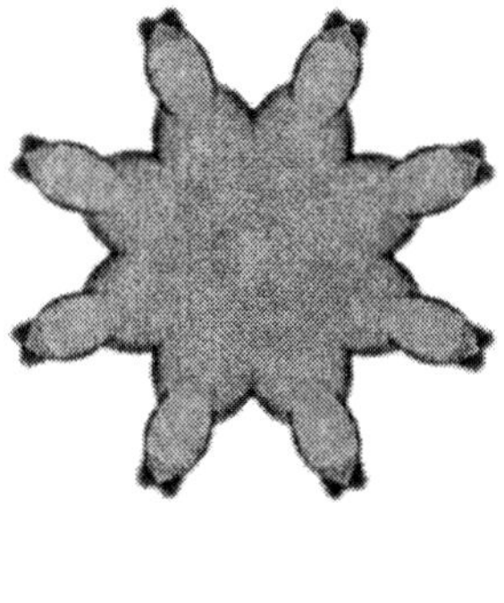

Mania de jornalista

Kátia não telefonou aquela noite, só no dia seguinte. Desculpou-se pelo "vexame". "No dia mesmo não consegui chorar; acho que por isso chorei tanto ontem." Perguntei se estava aliviada. Ela quis saber se eu iria ao terreiro de dona Lucinda por aqueles dias. Eu não ia, tinha que dar uma chegada a São Paulo para entrevistar o psicanalista Renato Mezan. Já íamos nos despedir, quando resolvi desfazer uma dúvida que me acompanhava desde a última noite. Seria melhor pessoalmente, mas me deu vontade de perguntar por telefone mesmo. "Kátia, você disse que o Ivan te deu um segundo *kit* com três doses de reforço, não foi?" "Foi", ela respondeu secamente. "Você só usou duas, a outra você guardou, não foi?"

"Acho que foi. Mas você não vai querer falar disso agora, vai?"

Pedi desculpas pela inconveniência, mas expliquei que a última conversa tinha me deixado muito intrigado, eu estava cheio de dúvidas e curiosidades, só queria fazer mais uma perguntinha.

"Qual é?", ela disse, meio impaciente.

"Onde está a outra dose, você jogou fora?"

"Não, eu guardei comigo, por quê?", ela agora é que perguntava.

"Porque eu gostaria de ver."

"Mas ver pra quê? Vai querer usar? Só serve pra mulher", ameaçou fazer ironia, mas voltou logo ao sério. "Não quero mais mexer com isso não."

Achei melhor encerrar o papo por aí. Perguntei se ela queria alguma coisa de São Paulo e prometi telefonar quando voltasse.

"Além do mais, não sei nem se ainda faz efeito." Levei um certo tempo para entender que ela ainda falava da dose guardada.

"Na volta a gente fala sobre isso." Preferi deixar para quando a gente se encontrasse pessoalmente.

Não conseguia tirar da cabeça uma suspeita que se insinuara em mim desde a primeira vez em que ouvi essa história de poção mágica. Na verdade, nunca me convencera dos tais poderes miraculosos que se atribuíam às misturas preparadas por dona Lucinda e outras mães-de-santo.

Podia ser cisma, mas achava muito estranha a morte de Fernando, muita coincidência. Será que não tinha a ver com as doses do pó que tomou? Aquele sujeito, o tal Ivan, não era com certeza flor que se cheirasse. Eu não conseguia achar natural aquele casamento com a *perua* rica pouco tempo depois da morte do amigo que ele tanto invejava.

Era tudo uma vaga impressão, uma hipótese remota, talvez não tivesse nenhum fundamento. Mera intuição. Vai ver que era só uma história mal contada.

Em nenhum momento, porém, eu conseguia admitir que Kátia estivesse nem de longe envolvida, fosse no que fosse. Ela parecia ser tão franca e transparente, ainda que ingênua, embora se achasse muito esperta. Não, não era possível.

Ou era? Ao mesmo tempo, se mostrava tão sagaz, parecia ter dupla personalidade. Me lembrei daquela carona, ela como um bicho do mato; e depois, no bar do Caesar Park, lembrando uma tarimbada garota de programa. Um dia, cândida e amuada; noutro dia, exuberante – essa ciclotimia não era normal. Qual o papel dela nessa história toda? Não sei se jamais saberei.

Antes de viajar para São Paulo, liguei para José Noronha e relatei a morte de Fernando, conforme a descrição de Kátia.

"Por essa descrição, pode-se morrer de tudo", ele me fez sentir um completo idiota. "Não fizeram autópsia?" Eu achava que não.

"Tá legal, vou ver se arranjo mais detalhes", prometi. "Assim que voltar de Sampa te telefono."

Dependendo do dia, uma viagem Rio-São Paulo de avião para entrevistar um psicanalista pode durar até quatro horas. Basta que haja uma chuva forte no Rio e o engarrafamento de sempre em São Paulo.

Às 6, quando vi que não chegaria a tempo, aceitei o oferecimento do motorista do táxi especial e liguei pelo celular para Renato Mezan. "Você me desculpe, mas ainda estou em frente ao Detran", comuniquei.

Ele calculou que eu não chegaria antes das 7 e pouco. Ia aproveitar para dar uma saída e, se por acaso eu chegasse antes, o que era improvável, poderia esperar no bar da esquina da rua Amália Noronha com Capote Valente – na verdade, um botequim meio sórdido e cheio de bêbados inconvenientes.

Depois, quando o motorista delicadamente tentou fazer para mim outra ligação, avisando que já estávamos chegando, ouviu na secretária eletrônica: "Aqui é Renato Mezan."

"Eu conheço esse nome", ele procurou se lembrar de onde. "Ah, sim, é um neurologista famoso, né?" Eu corrigi: "Psicanalista."

"Ih, médico de cabeça." Meu ilustrado condutor se assustou um pouco e vi pelo espelho sua cara preocupada. "É pro senhor mesmo?" Eu disse que não, mas não adiantou muito, porque ele não puxou mais conversa. Deve ter achado arriscado incomodar quem estava indo se consultar com um médico de cabeça.

Se Renato Mezan demorasse mais, eu ia ter que aderir àquela farra de quinta-feira à noite no botequim. Estava pegando mal eu ali sentado, com a mala de viagem na cadeira, bebendo Coca-Cola e fazendo anotações, enquanto todo mundo bebia "uma brahma da antártica", como dizia um de meus vizinhos de copo, repetindo a velha piada. Olhava para mim, esperando a reação, e pedia: "Sai mais uma brahma da antártica." E todos riam. Para não ser antipático, eu ria também.

Às 7h20, Mezan me pegou, atravessamos a rua e fomos para seu consultório. Era pequeno mas charmoso, com uma parede de blindex no fundo. Sentei-me numa poltrona e ele na outra. À esquerda, o divã.

Por causa do atraso – a entrevista estava marcada para 5 horas da tarde – eu não podia perder tempo passeando o olhar pelos livros e móveis. Às 8 ele tinha que sair, delicadamente me avisara.

Além do que, eu estava muito curioso para conhecer essa figura que tinha escrito um ensaio primoroso sobre a inveja, que li quando meu livro já estava, por assim dizer, em adiantado estado de composição.

Tratava-se de um daqueles ensaios dos quais você sai dizendo "como sou inteligente!" – o contrário daqueles que só são inteligentes porque você sai se sentindo burro.

Preparara um longo questionário, mas que nem cheguei a tirar do bolso; não teria tempo. Fiz logo a primeira pergunta. Como é que a inveja tinha chegado a ele – pelo divã ou por intermédio de Clarice Lispector?

O ponto de partida fora um conto modelar da escritora, "A legião estrangeira", em que descreve o nascimento da inveja numa menina por causa de um pinto. Em 1987, Mezan devia falar sobre o tema no seminário "Os sentidos da paixão", quando sua mulher, leitora de Clarice, disse: "Olha, tem um conto que é feito de bandeja pra você."

Formado em Filosofia pela Universidade de São Paulo, ele chegou a estudar estética e teoria literária, mas sem se especializar. Guardou, no entanto, a paixão pela leitura. Foi ler o conto e o achou perfeito para o que se propunha. Além do mais, o objeto da inveja na história era um pinto, que todo mundo sabe ser também o sinônimo carinhoso de pênis.

"Na psicanálise, o objeto tradicional da inveja é o pênis, a inveja do pênis. Achei curioso aquele negócio de pênis e pinto."

De fato, era uma metáfora engraçada. Afinal, a menina Ofélia tinha inveja do pinto.

Desde a primeira frase, o ensaio de Mezan já era um convite. Em meia dúzia de palavras resumia a história milenar do pecado: "A inveja não goza de boa reputação." Depois, não se conseguia mais parar.

O que me deu maior satisfação, no entanto, foi o ataque mortal que o autor desferia contra a hipótese da inveja boa. Lembram-se da discussão que surge já no começo deste livro? Ele resolveu a questão.

"É um compromisso trôpego o que sustenta a idéia de uma 'inveja saudável'", ele explicava no seu ensaio. Tudo não passava de um mecanismo de defesa contra a vergonha que sempre acompanha a "menção pública" do pecado. Como é um sentimento vergonhoso, o psicanalista argumentava, ela precisa vir acompanhada do adjetivo "saudável" para ser confessada.

Assim, quando alguém diz "morro de inveja de sua disposição", pode apostar: ou está sendo hipócrita para esconder a verdadeira e inconfessável fonte de inveja, ou está manifestando admiração, que é o oposto da inveja.

Como Mezan mostrava em outra síntese epigráfica, "apesar das aparências, a admiração e a inveja não pertencem à mesma categoria de afetos".

É bem verdade que o conto de Clarice ajudava, mas a leitura do psicanalista enriqueceu-o. Graças aos dois, iam aflorando dramaticamente os aspectos principais da inveja: o seu caráter involuntário, a dimensão do desejo; a intenção de privar alguém de algo que possui; a natureza insaciável e as reações físicas descritas pela autora – a boca que estremece, os olhos que brilham e pestanejam, a sombra que passa pelo rosto. Não importa que esses sinais não correspondessem à realidade, pois, ao que tudo indica, a inveja não tem sintomas visíveis – eram expressivas licenças poéticas da extraordinária contista.

Dissecando e desconstruindo o sentimento, Mezan chegava a conclusões definitivas:

- Arrebatar do outro a coisa invejada importa mais do que procurar obter a posse de um objeto análogo.
- A inveja tem parentesco com o desejo, a agressividade, a astúcia e a sagacidade, o roubo e a rapina. Há algo nela que tem a ver com os olhos.
- Aquilo que é invejado é invariavelmente algo que já pertence a outro e cuja falta em mim percebo súbita e dolorosamente.
- O invejoso começa por atribuir ao outro um estado ou uma condição de que se imagina privado.
- O objeto invejado é invariavelmente um objeto idealizado.

Além do que já tinha oferecido no ensaio, Mezan me revelou naqueles 40 minutos de conversa aspectos curiosos de sua prática psicanalítica. Com pouco tempo, procuro me concentrar no pênis e no seio, digamos assim, ou seja, em Freud e Melanie Klein, duas especialidades suas.

Pergunto como a inveja do pênis aparece clinicamente. "As mulheres não chegam dizendo 'ah, morro de inveja do pênis'", responde, fazendo humor e se lembrando de uma piada contada por Jô Soares.

A menininha fala para o menininho: "Posso brincar com o seu pintinho?". Aí ele responde: "Ah, não, você já quebrou o seu e agora quer quebrar o meu!?".

Me lembrei de Woody Allen no filme *Noivo Neurótico, Noiva Nervosa*, quando Diane Keaton volta do analista e lhe pergunta se ele sabe o que é inveja do pênis. E ele: "Eu? Sou dos poucos homens que sofrem disso."

Não cheguei a citar, porque ele se lembrou antes do que o psicanalista Hélio Pellegrino afirmara naquele mesmo seminário: "Os homens também sentem inveja do pênis, e como!".

E como! Mas segundo a experiência clínica de Mezan e não só dele, o fenômeno está mais presente na fantasia feminina em relação aos "privilégios que a posse de um pênis outorga ao homem e dos quais elas estariam supostamente excluídas".

Esse sentimento de castração aparece muito na forma de queixas e reivindicações: "Se eu tivesse isso ou aquilo, eu seria feliz"; "Sou assim porque me falta isso".

Mezan citava o caso de uma cliente que quer muito ter uma menina. Sua cunhada está grávida e a análise passa a ser ocupada pela fantasia de que a gravidez era de uma garota, o que acaba se confirmando e a deixa louca de inveja.

"Ela vem um dia para a análise espumando, num estado de agitação enorme e diz que não é justo que ela não tenha uma filha, embora possa vir a tê-la, já que é fértil. Completamente irracional, desabafa: 'Olha, eu quero mais é que ela perca essa filha. Por mim, ela podia bater o carro e morrer.'"

Ele já escrevera que "o que a inveja do pênis inveja *no* pênis é o gozo de um privilégio", e que isso é uma manifestação de idealização.

A idealização, além de aproximar Freud e Klein, é uma das principais características do sentimento invejoso. O seio, como a psicanalista ensinou, é a nossa primeira idealização. Como parece que vai nos alimentar e dar prazer eterno, quando falta nos enche de frustração e ressentimento.

Para Freud, a idealização mantém estreitas relações com o narcisismo e é um mecanismo de defesa contra as pulsões destrutivas.

O psicanalista já havia ensinado tudo isso no seminário, mas agora dava mais exemplos do que ocorria no chamado "espaço protegido", onde a jovem mãe sabe que pode confessar abertamente o desejo de morte da cunhada.

"Me dei conta de que a maioria das coisas invejadas pertence à esfera do narcisismo: beleza, juventude, honra, glória, fama, poder, coisas tangíveis mas que se podem perder facilmente."

Em alguns casos, Mezan quase confundiu cobiça com inveja. Salvou-o mais uma vez Melanie Klein, nesse campo, "insuperável". Depois dela, só confunde os dois sentimentos quem quer.

Espero que os que chegaram até essa altura do livro tenham aprendido que o prazer do invejoso é acabar com o prazer do outro, é não querer que o outro tenha.

A cobiça não é assim. Não que ela seja boazinha, construtiva. Mas diante da agressividade e hostilidade que acompanham a inveja, ela pode até ser chamada de "saudável". "Eu posso até matar para ficar com o que o outro tem", exemplificou Mezan, "mas a última coisa que vou fazer é destruir, quebrar ou prejudicar o que é objeto do meu desejo."

Eu tinha que me apressar. Não cumprira nem 20% de minha pauta e havia muitas questões. Por exemplo, gostaria de saber dele, notório leitor de Dante e conhecedor da *Divina Comédia*, ex-aluno do colégio Dante Alighieri, em São Paulo, por que a inveja estava no Purgatório e não no Inferno.

"Também não sei. De fato, gosto de literatura italiana, conheço o Inferno de Dante bem, achei que minha memória estava fraca, fui procurar, ler de novo, e nada. Não entendi. Talvez um padre te possa explicar."

Mais uma pergunta rápida: as mulheres são mais invejosas?

"Eu diria que a inveja é mais azeda entre as mulheres por causa de uma vivência – em parte psicológica, em parte cultural – de privação. Elas têm que lutar mais, ter mais talento, mais competência. E no final há sempre alguém para dizer: 'Conseguiu por que deu para alguém.' Ou então: 'Por que ela e não eu?'".

São 8h15 e ele está atrasado 15 minutos. Levantamos. No dia seguinte, ele ia viajar e eu voltaria para o Rio. Deixei o questionário que fora distribuído aos psicanalistas só para ele "dar uma olhada". Saí com pena, inclusive de não ter, simbolicamente, deitado Kátia naquele divã ao lado.

Queria me abrir naquele "espaço protegido", como ele dizia, nem que fosse "em tese", digamos assim. Um jornalista, em meio a uma pesquisa de campo sobre a inveja, esbarra numa jovem, cujo envolvimento numa morte suspeita ele resolve apurar. O jornalista desconfia de um mesquinho invejoso, mas ela também não está acima de qualquer suspeita. O que fazer?

O ideal seria entregar "O caso de K." a esse doutor em inveja e dizer: "Você decide, Renato Mezan." Mas ele já estava abrindo a porta.

Quando voltei de São Paulo, no sábado de manhã, havia um recado de Kátia na secretária eletrônica, pedindo que lhe telefonasse. Liguei e disse que poderia dar uma passada antes do almoço em sua casa.

No avião, eu tinha preparado mentalmente um verdadeiro questionário para ela. A primeira pergunta era se Fernando sofria do coração ou se tinha algum parente cardíaco.

"Falaram que o pai morreu do coração."

"Quem falou?", perguntei.

"O Ivan."

"Você disse, Kátia, que tinha guardado um envelope de pó em casa, que não tinha sido usado. Posso ver?"

"Pra que você quer ver?"

Resolvi abrir o jogo com ela. Falei de minha suspeita: não tinha certeza, claro, era só um pressentimento ou uma impressão, mas achava que aquele pó estava na origem da morte súbita de Fernando.

Ela deu um pulo da cadeira, transtornada.

"O quê? Você tá querendo dizer que Vó Lucinda é que causou a morte de Fernando? Como é que você é capaz de pensar uma coisa dessa? Nando morreu de enfarte, o médico atestou, todo mundo sabe. Que absurdo!"

Nunca a vira tão brava. Esperei que se acalmasse. Ela pegou o isqueiro na mesinha, acendeu o cigarro, levantou-se, ainda bufava. Indignada, se queixou, baixando a voz:

"Nesse caso, você deve estar achando também que eu tive a ver com a morte. Claro, se foi o pó e se eu é que dei. Você acredita mesmo que eu seria capaz de uma coisa dessa? Que eu seria capaz de causar algum mal a Fernando?"

"Você não, mas..."

Ela me interrompeu: "Vó Lucinda? Que loucura!".

"Não. Ivan."

Ela não esperava. Pareceu meio aturdida. Calou-se, ficou pensativa e então falou.

"Você sabe o que eu penso do Ivan. Ele é mesquinho, ruim. Por mim, ele já... deixa pra lá. Quero que ele se dane. Sei também que ele passou a vida invejando o Nando, odiando em silêncio, torcendo pela desgraça, quebrando os brinquedos dele, disputando as namoradas, falando mal, fazendo tudo pra me roubar dele. Mas daí a achar que ele..." Ela não continuou. Surgia um novo argumento: "De mais a mais, quem preparou o remédio foi Vó

Lucinda, o Ivan apenas trouxe e me deu. E eu telefonei antes pra Vó Lucinda, ela é que me aconselhou."

Fez-se um silêncio incômodo na sala. A conversa tinha azedado. Me levantei, preparando para me despedir. Quase que lamentando, ela disse: "Não sei por que você está tão interessado em mexer nesse caso."

"Deformação profissional", me desculpei, "mania de jornalista."

Parecia mais calma. Levantou-se e pediu para eu esperar um instante. Foi até o banheiro e demorou-se um pouco. Voltou com um pequeno envelope e me entregou. Pus no bolso e disse que não faria nada sem falar com ela. Só queria que não comentasse nada com Ivan.

Kátia me olhou pra ver se eu estava falando sério. "Pode deixar, vou ligar agora mesmo pra ele contando tudo." Só percebi a ironia quando ela completou: "Você também me acha uma idiota, né?".

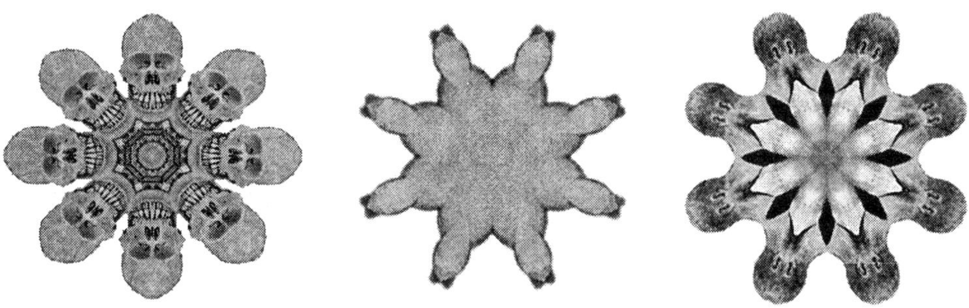

O laudo

Carregando as amostras de poções mágicas – a que eu peguei com Kátia e a outra que dona Lucinda me preparou –, Zé Noronha e eu partimos para o Laboratório Central de Saúde Pública Noel Nutels, no Centro do Rio, na terça-feira de manhã. Eu lhe pedira para me indicar um laboratório sério e competente, e ele resolveu me arranjar o melhor – um laboratório de "referência padrão", como é conhecido. O seu diretor era aquele Dr. Oscar Berro cujo telefone Noronha me dera. Não cheguei a ligar com vergonha de pegar o aparelho e: "Dr. Oscar, sou fulano de tal e estou com umas poções mágicas aqui pra ver se têm veneno, o senhor me ajuda?". Zé Noronha foi quem, mais uma vez, se encarregou de marcar o encontro. Chegamos às 10 da manhã no prédio da rua do Rezende, e logo depois o Dr. Oscar Berro veio até a sala de espera para nos conduzir a seu gabinete.

Me pareceu muito jovem e irrequieto. Assim que nos sentamos, percebi que iria ser uma conversa cheia de interrupções. Ele não parava. Quando não era um funcionário entrando com um processo para despachar ou um problema para resolver, era o telefone que tocava.

"Interdita e dá uma multa ferrada", disse para alguém do outro lado da linha, antes que eu pudesse expor o meu caso. "Esses caras pensam que a gente está de brincadeira." Ele se referia a uma dessas clínicas médicas que negociam com a saúde no Rio de Janeiro. Na véspera, eu o vira na televisão comandando uma batida a hospitais infratores.

Dr. Oscar Berro ainda estava indignado quando desligou o telefone e se dispôs a nos ouvir. O "meu caso" não era rotineiro e nem a *vocação* do seu Laboratório era aquela – e sim cuidar de "agravos à saúde pública", como me explicou –, mas ele faria a análise, tendo em vista que era solicitação de um médico.

Além do mais, tempos atrás aparecera ali uma história parecida. Um jovem casal morador de Petrópolis o procurara com uma caixa com vinhos e licores solicitando que fossem examinados. "Eles entraram, sentaram-se aí e contaram a história. O avô deles tinha mandado embora um jardineiro, que prometera se vingar matando-o."

Era um senhor de gosto refinado que tinha por hábito beber vinho às refeições. Uma noite, depois de um desses jantares em que se serviram drinques, vinhos e digestivos, ele sofreu um enfarte. Levado para um hospital, foi salvo, mas os cardiologistas suspeitaram de uma tentativa de envenenamento. Indicaram então o Noel Nutels para que a família mandasse examinar a bebida.

A história terminou com um anticlímax. Depois de testadas e analisadas todas as garrafas – de vinho, de licor, de conhaque –, o resultado revelava que não continham nenhuma substância tóxica. "Eram bebidas puras, da melhor qualidade", disse rindo Oscar Berro. O mais engraçado é que o casal deixara as garrafas de presente para o pessoal do Laboratório, mas ninguém, por via das dúvidas, tivera coragem de beber o conteúdo.

Agora já estava sentada ao meu lado a química Cláudia Teixeira, chefe da Divisão de Controle Sanitário e subdiretora do NN, que o diretor mandara chamar. A Dra. Cláudia, eu veria depois, era o contraponto zen do seu agitado chefe.

Só então ele pediu à telefonista que não o interrompesse e começou a examinar o material que eu pusera em cima da mesa. Cheirou o pó, esfregou um pouco entre os dedos, cheirou de novo e me explicou: "Essa é a primeira etapa: a análise das características organolépticas do produto – identificação de elementos como cor, odor, sabor e textura da substância."

"E qual seria sua primeira conclusão?", perguntei.

"Que se trata de um pó branco, fino, com pequenos grãos e sem homogeneidade. Poderia ser giz, cal, um monte de coisas."

O produto tinha que ir agora para a fase de análise físico-química e toxicológica. O Dr. Oscar Berro sugeriu então que a gente o acompanhasse numa visita pelos vários departamentos do Laboratório que, cheio de orgulho, ele dirigia.

Não tinha como recusar o convite, mesmo achando que ia encontrar uma certa dificuldade de acompanhar aquele jovem que dava passadas rápidas, falava com um enquanto respondia a outro, fiscalizava as obras e subia a escada rapidamente, pulando degraus.

"Essa é a área de microbiologia de alimentos", ele anunciou quando chegamos ao primeiro andar e entramos num amplo espaço cheio de máquinas e equipamentos, e cercado de "aquários" – uma arquitetura que ia se repetir nos andares seguintes.

"A guerra biológica, em que se pode matar com cargas de vírus e bactérias, parece muito distante, mas não é. Se você botar o dedo numa placa dessas e passar em alguém, pode matá-lo", ele diz e eu não consigo deixar de pensar como é cada vez mais fácil o crime perfeito.

Sinto o mau cheiro do ambiente, ele nota e resolve provocar a colaboradora. "A Cláudia fica revoltada comigo porque eu digo que prefiro trabalhar com fezes do que trabalhar com esse material."

Oscar Berro vai andando, brincando com uma ou outra funcionária e me explicando: "Essa amostra que vocês trouxeram não está ligada a essa área, mas aquele equipamento ali pode ajudar na avaliação." Aponta uma máquina indecifrável para mim, e Cláudia fala em "absorção atômica", um aparelho para detectar metais: chumbo, cobre, cromo, mercúrio.

"Essa aqui é a minha namorada", ele mexe com uma senhora de cabelos brancos absorta em cima de um microscópio. Já estamos no segundo andar, na área de microbiologia de medicamentos. Me mostra uma sala onde não podemos entrar para não contaminar o espaço hermeticamente vedado. Mais adiante me apresenta às "capelas", espécie de fornos, um ao lado do outro, com grandes coifas de exaustão. "A gente trabalha aqui com ácidos extremamente corrosivos."

Já tínhamos passado por cromatógrafos, espectrofotômetros e agora estávamos diante de um aparelho de dissolução SR6. "Com ele se sabe em que parte do organismo é destruída a capa de proteção de um comprimido", Berro me diz e eu não percebo logo a utilidade do aparelho. Pergunto para que serve.

"Para detectar se um comprimido, que deve fazer uma função no fígado ou no estômago, está se dissolvendo antes ou depois. Ou então se é tão duro que, como entra, sai, não exercendo função alguma."

Quando ele foi dirigir o Noel Nutels há oito anos, a quantidade de produtos explosivos punha permanentemente em risco os funcionários, o prédio e até o quarteirão. Através de um convênio, o novo diretor importou então um "armário de segurança", que ele me mostra cheio de orgulho. "Agora não explodimos mais com o prédio."

Já estava exausto, como estou agora só em lembrar aquela manhã. Em pouco mais de uma hora, percorri os quatro andares do Noel Nutels, isto é, 5.300m^2, fui apresentado a R$ 7 milhões em equipamentos, os mais sofisticados do gênero, vi máquinas incríveis, senti todos os cheiros do mundo, estive próximo de cargas virais assassinas, bactérias letais e microorganismos devastadores – sempre guiado pelo entusiasmo daquele elétrico comandante.

Fui embora achando que o serviço público no Brasil funciona, quando funciona, graças à abnegação de seus servidores, ou à "paixão", como prefere Oscar Berro, ao me informar o salário médio de seus técnicos altamente qualificados: R$ 350,00. "A Cláudia, se não fosse da Fiocruz, se fosse funcionária daqui, ganharia R$ 500,00 por mês. Aquela senhora que encontramos há pouco ganha isso com 15 anos de Estado."

Uns dez dias depois, recebi um telefonema de Cláudia informando que o laudo estava pronto e que eu poderia apanhá-lo no dia seguinte de manhã. Não quis adiantar nada por telefone.

Quando passei, eles haviam saído para uma *blitz*, ela e o Dr. Oscar, deixando um envelope fechado em meu nome com a secretária. Abri e decidi que não mostraria a ninguém, nem aos leitores, antes de mostrá-lo pessoalmente a Kátia.

Quase perfeito

Mal sentamos no bar do Caesar Park assumi um ar solene e com o resultado dos exames na mão comuniquei a Kátia: "Vim declarar publicamente que sou um detetive de merda." Diante de sua cara de espanto, completei: "Você ainda pergunta por quê? Os exames deram negativos." Li então para ela o laudo do Noel Nutels informando que os "testes e determinações executados na amostra" não revelavam a presença de nenhuma substância tóxica ou letal. Pulei os termos técnicos e traduzi para ela a conclusão: "A poção de Vó Lucinda, o pó no qual você tanto confia e do qual eu tanto desconfiei não tem cheiro, não tem gosto e faz tanto mal quanto uma mistura de amido com ácido acetilsalicílico, ou seja, é inocente como uma boa dose de maisena misturada com aspirina em pó."

"Que mico!", ela quase gritou. "Mas ainda bem, graças a Deus e graças a São Cipriano!" Me agarrou por cima da mesa e me deu um escandaloso beijo na careca, visto por todo mundo das mesas em volta.

"Você imaginou o remorso que eu ia sentir o resto da vida? Você já imaginou eu me olhando no espelho todo dia e dizendo: 'Você matou Fernando! Você matou Fernando! Não interessa se foi sem querer, você matou.'"

Pedi que falasse mais baixo. Só pensava nas outras mesas ouvindo aquela declaração: "Você matou Fernando!".

Não adiantou a observação. Ela estava eufórica. Eu também, apesar de tudo, apesar daquele vexame: mobilizar profissionais como a Dra. Cláudia e o Dr. Oscar Berro, alugar o Zé Noronha, que desperdício! O que mais me decepcionava era a falência de meu "sexto sentido", que eu tinha mania de achar que funcionava.

Kátia e eu aproveitamos para nos divertir. "Contamos ou não para o mau-caráter do Ivan que ele esteve sob suspeita?" Quando eu disse que não, "Deus me livre", sem perceber logo que era um jogo de absurdo o que ela propunha de brincadeira, me senti um retardado, incapaz de acompanhar um raciocínio mais rápido.

Contei-lhe o caso do "avô de Petrópolis", as bebidas que ninguém queria tomar e, já que estávamos brincando com as hipóteses, perguntei o que ela teria feito se os exames confirmassem a presença de veneno nas poções analisadas?

Ela pensou um pouquinho: "Se lembra daquela vez, quando você me falou de sua suspeita? Eu não dormi. Quando consegui, tive um sonho, sonho não, um pesadelo."

O pesadelo de Kátia era cheio de peripécias. O pior é que resolveu relatá-lo aquela noite com todos os detalhes. Não podia faltar a *perua*, claro, havia cenas que se passavam no escritório, e ela não chegava a ressuscitar Fernando. A história estava longe de ser emocionante.

"Você também aparecia", me disse e só então me interessei. "Eu? Como?"

"Você aparecia me mostrando como Ivan tinha matado Fernando. Ele misturava veneno no pó que Vó Lucinda preparou sem que ninguém soubesse. Aí, depois, eu resolvia me vingar e matar ele também. Do mesmo jeito: ia na minha caixa de feitiço, pegava um papelote de veneno que tinha sobrado e punha na comida dele."

Ela deu uma risada e eu ri também, mas o meu riso parou no meio, ficou congelado por um pressentimento. Senti quase um mal-estar. Um detalhe me incomodava naquele sonho, e incomodava porque parecia real.

Ela não tinha entregue a dose para eu mandar examinar? Que negócio era aquele de dose que sobrou? E que "caixa de feitiço" era aquela?

Tentei manifestar minha surpresa, mas Kátia havia rompido as barreiras de sua tolerância alcoólica. Estava de porre. Um baita pileque tomara conta de minha jovem amiga. Convidei-a a ir embora, mas nem isso ela ouviu. Levantou-se com dificuldade e não conseguiu caminhar em linha reta até o carro.

Entrou, sentou-se e mandei que botasse o cinto de segurança. Mal prendeu a fivela, já estava dormindo. Foi assim até a Barra. O seu pesadelo não me saía da cabeça. Aliás, não era novidade: eu só pensava em pó, veneno, inveja, morte, já não agüentava mais. Tentei afastar aquelas idéias fixas.

Na porta do prédio, acordei Kátia e tive que arrancá-la de dentro do carro. Apoiou-se no meu braço, bêbada de bebida e de sono, e balbuciou alguma coisa como um pedido para que eu a acompanhasse até o apartamento.

Deixei o carro aberto e tentamos atravessar o *hall* de entrada. Só então reparei como era amplo aquele espaço. Tudo bem que o *hall* de um "Hotel Residência **** – Superior", como dizia a placa de entrada, fosse assim. Mas era muito pouco prático para se arrastar alguém de pileque. Pensei que deveriam ter construído uma rampa para em casos como esse se entrar com o carro e levar o corpo até o elevador.

O sonolento recepcionista fez menção de sair de trás do balcão para me ajudar, mas foi só fita. Um casal sentado numa das muitas poltronas olhou com cumplicidade, mas sem qualquer gesto de solidariedade.

Foi, portanto, sozinho que tive de arrastar até o elevador aquele invejável corpo em condições normais, mas naquele momento um fardo frouxo cheirando a álcool.

Lá em cima, procurei a chave na sua bolsa, abri a porta e ela se jogaria no chão se no caminho não houvesse um sofá. Nele se atirou, apagando definitivamente.

Antes de ir embora, precisei dar uma chegadinha ao banheiro e só por delicadeza pedi licença. Como eu devia imaginar, ela nem ouviu.

Estava fazendo pipi, quando me veio a lembrança de que fora aqui no banheiro que ela viera pegar a amostra de pó que lhe pedi no sábado anterior.

Em pé, enquanto terminava minha operação, continuava pensando na história. Olhei então casualmente em volta e vi um armário na parede. Fui assaltado por uma curiosidade irresistível. O que será que havia ali dentro? Com certeza nada de mais. Nenhum móvel é mais previsível do que um armário no banheiro. Mas não custava dar uma olhada.

Apertei a válvula da descarga e abri o armário. Tinha tudo de que precisa uma moça solteira: um variado sortimento de objetos para maquiagem e toucador. Tinha batom, pó-de-arroz, base, esmalte de unha, tesourinha, removedor, essas coisas.

Numa prateleira em cima, havia uma pequena arca de madeira em forma de casinha, com duas tampas inclinadas, como se fossem telhados que se abriam. Era dividida em dois compartimentos: em um, vi um frasco de plástico de "Água de Melissa", da Ninon, outro de "Banho de São Cipriano", e vários vidrinhos de "fluidos aromáticos" coloridos, presumivelmente para misturar no banho.

Um, azul, se chamava "Iemanjá"; outro, vermelho, "Exu"; e um "Xangô" de que não me lembro a cor. Mas os que me chamaram a atenção mesmo foram: "Gamação", "Atração", "Amor sem fim", "Encanto", "Hei de vencer", "Ele de volta", "Abre caminho".

Supus que Kátia não precisava daquele arsenal de mandingas para prender um homem, mas, enfim, ela é que sabia.

Ao abrir o outro compartimento, tive um rápido estremecimento. Num embrulho e meio desarrumadas, havia algumas *trouxinhas*, pequenos envelopes de papel vegetal. Eram iguais àquele que Kátia me dera. Peguei todos, eram quatro, como vi depois, botei no bolso e apertei novamente a descarga para justificar a demora: minha amiga talvez já tivesse acordado.

Eu podia estar enganado, mas algo me dizia que eu conseguira ter acesso à tal "caixa de feitiço".

Saí sentindo a ansiedade que deve sentir um ladrão na sua primeira missão. Kátia continuava apagada. Ainda tentei despertá-la para levá-la para o quarto, mas foi inútil. Chamei o elevador e desci. Lá embaixo o recepcionista ainda dormia. Não devia estar esperando que eu descesse tão cedo.

Entrei no carro e parti depressa, com a sensação de que estava carregando no bolso a chave daquele mistério. A excitação só passou quando me lembrei que isso acontecera também da outra vez, até que o laboratório revelasse o vexame.

Mesmo assim estava disposto a voltar ao Noel Nutels, se fosse preciso – não sabia com que cara ia procurar Cláudia, mas iria. Em casa, coloquei os papelotes sobre a bancada do banheiro e examinei um a um. Percebi então que um deles era numerado. Tinha um algarismo já bem desbotado, quase imperceptível: "3". Será que o que eu levara para exame tinha número também? Não tinha prestado atenção. Agora mesmo, só conseguira enxergar aquele "3" quase apagado por causa da luz forte do meu banheiro.

O Dr. Ricardo Greca fora passar o fim de ano na França e disse que, se eu quisesse, poderia fazer minha revisão de bexiga – uma nova cistoscopia – enquanto ele estivesse viajando. Era só ligar para o Dr. Paulo Rodrigues, o que fiz no dia 5 de janeiro de 98.

"O seu último exame não estava nada bom", ele falou com naturalidade mas eu me assustei. Perguntei se era mais uma recidiva.

"Pode ser, mas pode ser também um falso positivo, efeito do BCG. Nada de grave." Me pediu paciência, informando que os dois primeiros anos eram os piores. Depois, quem sabe, eu podia até me livrar desse câncer.

Por cautela, ele adotaria o procedimento de uma RTU: faria a cistoscopia, olharia lá dentro e no caso de haver "alguma coisa", ele a extirparia, sem precisar de nova anestesia. Rara combinação de afeto e competência técnica, o Dr. Paulo, com sua ternura, sempre conseguia atenuar uma má notícia.

Íamos marcar a cirurgia para o dia 12, mas isso atrapalharia o livro. Eu tinha que entregá-lo impreterivelmente no dia 15. Prometera para julho, depois para outubro, em seguida para dezembro. Finalmente, combinei com a editora que o dia 15 de janeiro de 1998 seria o último prazo, eu não atrasaria mais.

Expliquei ao Dr. Paulo e ele propôs então o dia 16. "Assim, você acaba o seu livro sossegado e a gente te opera no dia seguinte, tá bom?"

Achei que estava. Ia correr tudo bem, se Deus quisesse, mas não custava nada acabar o livro antes.

Já era tarde quando Zé Noronha ligou para me comunicar que conversara com o Dr. Paulo sobre meu último exame de urina. Mary lhe transmitira nossa preocupação.

"Fica tranqüilo porque o Paulo está. Se não estivesse, não negociaria prazo com você para a cirurgia; operaria logo."

Em seguida, com a mesma franqueza, admitiu que tinha havido "alteração de células", mas as hipóteses eram aquelas: "recidiva ou falso positivo".

"Tá reclamando de quê?", brincou mais uma vez. "Mesmo que o câncer tenha voltado, está mantido o padrão anterior, a mesma intensidade. Ele não se espalhou, está localizado. É o que eu sempre disse: o que você tem é chato, pode voltar sempre, mas não é grave."

Dito isso, mudou de assunto, passando para a inveja. Quando lhe contei que tinha voltado ao Noel Nutels com mais uma amostra, ele me gozou: "Cuidado, tá virando obsessão."

A Dra. Cláudia foi um amor. Entendeu minhas dúvidas e inquietações e se colocou de novo à minha disposição. Resolvi me abrir: "Não quero ser um novo avô de Petrópolis, Cláudia, mas continuo suspeitando que tem veneno nessa história." Ela ouviu com atenção e prometeu examinar o material que lhe entreguei.

Passados dez dias, ela me ligou de noite informando que, antes de apresentar o laudo, queria me mostrar um relatório com a metodologia e os procedimentos usados.

Diante de tanto escrúpulo em relação a um caso tão insignificante, imaginei o rigor que o Laboratório usaria quando se tratava do que Oscar Berro chamava de "agravos" à saúde pública. "Nós estamos lidando com uma suspeita de envenenamento criminoso", ela se justificou, "e isso é grave."

Já íntimo do Noel Nutels e chamando-o pelo logotipo – "Ene-ene" – voltei lá no dia seguinte às 11 horas. Cláudia veio me buscar na entrada, subimos até o primeiro andar e fiquei constrangido quando soube que aqueles quatro livros grossos abertos sobre a mesa eram por minha causa.

Pedi desculpas, mas ela confessou que estava se divertindo com essa espécie de enigma. "Você precisa ver o Oscar; ele está mais excitado ainda." Eu já tinha notado. Por várias vezes, ele me submetera a verdadeiros interrogatórios.

Uma ocasião, indo para uma *blitz*, me ligou perguntando se "a vítima usava perfume". Tive que telefonar para Kátia que, surpresa, me respondeu que sim: "Hermès".

O relatório que Cláudia tirou da impressora para eu ler continha minuciosa exposição dos procedimentos analíticos que estavam sendo adotados – "inspeção organoléptica da amostra", "espectrofotometria de infravermelho", "pesquisa por cromatografia". Sem falar na "anamnese da vítima do sexo masculino". Citava até os solventes usados: clorofórmio, acetona e hexano.

Eu já não suportava tanta expectativa e suspense. Por que ela não dava logo o laudo? Cláudia parecia se divertir com minha ansiedade, mas as pesquisas na verdade eram fundamentais para eliminar hipóteses. Permitiam afirmar, por exemplo, que não tinham sido usados nem organoclorados e nem organofosforados, substâncias que provocam morte por edema ou insuficiência pulmonar.

Da mesma maneira tinham sido eliminados os acônicos, os cumarínicos (raticidas) e o cloreto de potássio, que, por alterarem demais o gosto dos alimentos a serem ingeridos, tornavam-nos repulsivos.

Acabei de ler o relatório ali mesmo na sua sala, mas Cláudia ainda precisava fazer alguns testes.

Enfim, às 4 horas de uma sexta-feira, fui à presença dos dois para receber o tão aguardado laudo. Sentamo-nos como da primeira vez: o Dr. Oscar Berro na minha frente, atrás de sua mesa de trabalho, e a Dra. Cláudia Teixeira à minha esquerda.

Durante cerca de uma hora, ele expôs didática e pacientemente as etapas que haviam percorrido para chegar ao resultado – de que maneira, partindo de um amplo espectro de probabilidades e por meio de um processo de exclusão e escolha, eles descobriram o que continha aquele pó branco que eu levara para examinar. Ele completou o que o relatório de Cláudia adiantara.

Foi um trabalho estimulante que misturou pesquisa científica e investigação policial, alquimia e crime, rigor e imaginação. Se eu não fosse tão pouco dotado para a química, faria um fascinante relato sobre essa insólita aventura em meio a substâncias que tornam precários e quase imperceptíveis os limites entre o bem e o mal, a vida e a morte.

"A gente saiu jogando com todas as possibilidades", disse Oscar, me mostrando um pôster com a relação de uma dezena de produtos agroquímicos e defensivos agrícolas. Estes foram os primeiros a serem descartados, porque suas características não correspondiam ao perfil da amostra que eu levara.

Em seguida, vieram as drogas terapêuticas. Eu lhes tinha dito que a dose que supostamente Fernando ingerira no almoço fizera efeito cerca de uma hora e meia, duas horas depois. "Em função desse tempo", explicou Oscar, "elencamos cinco drogas – propanolol, nifedipina, metildopa, furosemida e digoxina" – todas com um tempo de atuação de no máximo duas horas.

Assim, por eliminação, a química e o médico foram chegando ao resultado final que estava ali no laudo que afinal acabavam de me entregar.

Era um formulário com o timbre do Governo do Estado, da Secretaria de Saúde e o logotipo NN do Laboratório. O nome oficial era "Laudo de análise técnica nº 0365/98". Vinha assinado por Oscar Jorge Berro, diretor geral, e Cláudia R. R. R. Teixeira, diretora de Divisão de Controle Sanitário.

O documento estava dividido em onze especificações – "Tipo de análise", "Controle interno", "Dados da coleta" etc., etc. –, mas o meu apressado olhar de jornalista foi direto ao último item, à "Conclusão", que dizia:

"Em relação aos testes e determinações executados, a amostra analisada apresenta-se com características de identidade próprias à Digoxina."

"E o que é digoxina?", quase gritei, assim que acabei de ler o resultado. Nunca tinha ouvido falar nessa substância. Estava curioso e excitado: o que seria isso?

Cláudia e Oscar me deram uma aula rápida. Disseram que se tratava de um digitálico, ou seja, de um medicamento extraído da planta *Digitalis lanata*, importante no tratamento de insuficiência cardíaca.

O problema é que a substância é remédio e veneno ao mesmo tempo – a *dose terapêutica* pode se transformar rapidamente em *dose letal:* basta exceder a dosagem adequada. Na quantidade certa, cura; um pouquinho a mais, mata.

"A dose que eu trouxe dá para matar?", me apressei em perguntar a Cláudia e Oscar.

Os dois não tiveram dúvida. A resposta era sim: aqueles dois gramas e meio eram suficientes para matar um homem.

E a substância podia ser misturada na comida sem alterar-lhe o gosto?

"Pode ser misturada em qualquer alimento", respondeu Oscar, "não tem gosto e nem cheiro. Só não é solúvel na água, mas é no leite, por exemplo."

"E como é que se adquire esse produto?"

"Nas farmácias", responderam os dois ao mesmo tempo. "Livre e irresponsavelmente", completou Oscar. Resisti a acreditar. "Pode experimentar. Você compra não só a digoxina, como quase todos os venenos desse pôster."

Nessa altura, Cláudia e Oscar já eram doutores no "caso da poção mágica" e não escondiam a satisfação de terem identificado a "minha" misteriosa substância.

"Esse crime seria quase perfeito", disse Oscar de repente.

"Por que *quase*?", me surpreendi.

"Porque alguém descobriu o pó."

"Quer dizer que se eu não tivesse..."

"Sim, porque nessa faixa de idade, que aliás é a minha – na verdade, tenho um pouquinho mais", reconheceu rindo, "esse tipo de episódio não é incomum."

Pergunto se a autópsia teria revelado o crime, e ele acredita que não. Revelaria a presença da digoxina. "Mas e se ele fizesse uso terapêutico dela?", ele introduz a hipótese. A *causa mortis* apontaria enfarte do miocárdio, mas não poderia dizer se era envenenamento acidental ou intencional.

"E a exumação agora, você acha que adiantaria alguma coisa?"

Lancei a pergunta porque andava preocupado. Se estava diante de um crime, deveria tomar providências legais.

"Exumação depois de um ano e meio?", Oscar se perguntou, antes de responder. "Seria bem pouco provável que tivesse algum órgão íntegro. Esse produto fez uma ação específica num músculo, no músculo do coração, que não existiria mais."

"Em osso e cabelo não fica vestígio?"

"Não, mas mesmo que ficasse", argumentou, "alguém poderia sempre aventar a possibilidade de uso terapêutico."

Por via das dúvidas, ele sugeriu que eu procurasse um médico legista, mas mesmo antes do laudo eu já tinha consultado um, que me dissera mais ou menos a mesma coisa.

Dr. Oscar deixou para o final uma curiosa informação: não era a primeira vez que a digoxina aparecia associada a poções mágicas.

"Conta-se que no período medieval, durante a caça às bruxas", ele começou, "uma delas teve sua vida preservada porque a saúde do rei dependia dela. Ele sofria de complicações cardíacas e respiratórias, e só melhorava quando tomava um chá preparado pela tal bruxa, ou melhor, alquimista. O chá era uma poção mágica feita com uma infusão de folhas da planta *Digitalis lanata*, quer dizer, digoxina."

Perguntei como a bruxa conseguira chegar à dose ideal, e rimos muito quando Oscar respondeu que até descobrir que "uma folha não matava, mas que duas sim", ela deve ter eliminado muitos plebeus.

Me despedi de Cláudia e Oscar e voltei para casa achando que eles tinham exagerado. Não devia ser tão fácil assim comprar na farmácia um remédio que qualquer um podia transformar em veneno. Deixei o carro na garagem e andei até a Drogaria Pirajá. Entrei e perguntei se tinha Digoxina.

"Quantas caixas?", quis saber o vendedor.

"Não precisa de receita?", perguntei, e ele me olhou como se eu estivesse querendo complicar as coisas. "Não", respondeu, impaciente. Paguei R$ 5,04 e enquanto esperava o troco fui lendo o que estava escrito na caixa: "Digoxina 0,25mg. – Venda sob prescrição médica. Contém 24 comprimidos. GlaxoWellcome". Vinha escrito também o prazo de validade: 5 anos.

Tomei coragem e telefonei para Kátia perguntando se ela não tinha dado por falta de nada no seu banheiro. Ela não entendeu. Contei então tudo o que tinha se passado na noite em que a levei de porre.

Me pareceu mais curiosa do que zangada.

"Não diga que você mexeu nas minhas coisas."

"Mexi e encontrei pelo menos uma novidade: a dose que sobrou estava lá, você não me entregou naquele dia, como eu acreditava."

Ela não se alterou. "Naquele dia, você deve ter reparado a minha má vontade."

"Por quê?"

"Porque não estava a fim de ficar lembrando a morte de Fernando. Fui lá, meti a mão na caixa e peguei o primeiro envelope que apareceu. Mas o que me interessa saber é se você teve coragem de fazer tudo de novo. Mandou examinar?"

Respondi que sim e ela se alvoroçou toda:

"E aí?", quis saber.

"E aí", demorei um pouco e menti com desfaçatez, "que deu negativo!"

"Espero que agora você desista."

Não tive coragem de dizer a Kátia que o resultado, positivo, não deixava dúvida: Fernando fora mesmo envenenado. A revelação equivaleria a encharcá-la de culpa, a lhe dizer que, mesmo sem querer, ela tinha matado o seu grande amor.

Ouvindo de novo as gravações, reconstruindo o que Kátia me contara, cheguei à conclusão de que Ivan realizara um trabalho profissional – "um crime quase perfeito", como disse Oscar Berro. Primeiro, forneceu três doses de pó absolutamente inócuo para que Kátia misturasse à comida de Fernando. Era a famosa poção mágica de dona Lucinda – inofensiva e inútil, incapaz de fazer mal a um bebê.

Enquanto isso, armou cuidadosamente a reaproximação do casal: fez insinuações, instigou Fernando, despertou seu ciúme, o que não era tarefa difícil para ele. Afinal, levara a vida toda fazendo isso, voluntária ou involuntariamente. Estava sempre de plantão para esse papel.

Dessa vez, deve ter sugerido a Fernando que Kátia, apaixonada mas já conformada, queria um reencontro sem compromisso, só uma ou duas noites de amor, uma despedida. O que que lhe custava? Não era propriamente um sacrifício.

O jantar, a noite de amor, tudo fazia crer a Kátia que a poção de dona Lucinda estava mesmo produzindo efeito. Fernando ia acabar voltando.

Ivan mandou então que Kátia repetisse o ritual na semana seguinte e desse as "doses de reforço": uma quarta, outra quinta e, se fosse preciso, a terceira na sexta-feira. Esta última seria com certeza uma dose de misericórdia, para qualquer eventualidade. Se a quantidade anterior não fosse suficiente ou se por acaso Fernando, na última hora, tivesse que almoçar fora, qualquer imprevisto desses, a moça repetiria a operação.

Provavelmente, para afastar a menor sombra de suspeita, ele tinha preferido não botar a substância tóxica na primeira dose do segundo *kit*, como não pusera nas três doses da semana anterior.

Se pusesse, mataria logo Fernando, e Kátia poderia atribuir a morte a essa primeira dose de "reforço".

Assim, a digoxina só deve ter sido usada nas doses de números 2 e 3: a que Fernando ingeriu e a outra que não chegou a ser usada – a que Kátia guardou em casa e eu, por sorte, peguei.

Cláudia e Oscar não acreditam que a escolha de um medicamento tão adequado não tivesse tido a orientação de um especialista – um cardiologista, um farmacêutico ou um químico, por exemplo –, mas isso jamais se saberá. O mais próximo que cheguei, o máximo que soube é que Ivan, na adolescência, trabalhou num laboratório farmacêutico na Baixada.

Quanto à aquisição do produto, Ivan deve ter feito o que eu fiz: entrou numa farmácia qualquer e comprou uma caixa de 24 comprimidos de digoxina 0,25. Foi para casa e triturou-os até virarem pó – uma operação mais simples do que preparar uma poção mágica.

Correndo para acabar o livro, passei algum tempo sem falar com Kátia. Alguma coisa estava acontecendo com ela. Na última vez em que nos víramos, ela me surpreendera ao confessar que queria ler alguma coisa sobre inveja. Será que eu não tinha um livro que explicasse "tudo"?

Ela estava querendo entender a amizade de Fernando e Ivan – como este podia ser tão egoísta e mal-agradecido, incapaz de reconhecer o que o outro fazia. Kátia contou que, quando não tinha mais nada que falar do amigo, Ivan alegava que ele gostava de parecer bonzinho. "É só para as pessoas dizerem: 'Como ele é legal'", dizia o invejoso.

"Quanto mais Fernando fazia por ele, mais ele ficava com raiva. Não sei como é que podia ter tanta inveja assim", Kátia disse indignada.

Depois, pensou um pouco e me perguntou se a inveja tinha cura. Informei a ela que muitos estudiosos achavam que sim, mas que, de minha parte, só tinha certeza de que era uma doença que nascia com a gente. Prometi que procuraria em casa alguma publicação que ajudasse a esclarecê-la, contanto que não fosse, pensei comigo, um ensaio ou algo parecido.

Me lembrei então que o primeiro livro de ficção que lera quando comecei a pesquisar o tema fora *Esaú e Jacó*, a história dos irmãos gêmeos Pedro e Paulo. Na verdade, era uma releitura. A primeira leitura tinha sido há 40 anos no curso de Letras Neolatinas da Faculdade Nacional de Filosofia.

A releitura de agora me confirmou a importância do livro, sua ambigüidade e sutileza. Com algum esforço, se tivesse paciência de ir até o final, Kátia poderia encontrar na história contada por Machado traços da história que ela conhecia tão bem. Pensei em emprestar-lhe o livro, mas não a minha edição da Aguilar, claro.

Saí então à procura e acabei encontrando um volume solto do *Esaú e Jacó*, da editora Garnier. Paguei com prazer os R$ 16,90 cobrados, pedi à moça para embrulhar pra presente e no dia seguinte dei para Kátia.

"Grosso, né?", foi sua primeira reação ao abrir o embrulho e apalpar o volume. Eu então me dei conta de que, decididamente, tinha errado de presente ou de pessoa. Mas, paciência, o mal estava feito.

Qual não foi minha surpresa quando, uma semana depois, Kátia me disse: "Não entendi tudo do livro, achei meio devagar, mas mesmo assim gostei."

Desconfiei que ela estivesse mentindo. "Vai ver que nem leu", pensei comigo e tentei tirar a limpo.

"Do que que você gostou, Kátia?", desafiei.

"Gostei muito da cabocla que as duas mulheres vão consultar no morro. Parecia o terreiro de Vó Lucinda, com fila e tudo! Ela é uma mãe-de-santo, não é?"

"É uma espécie de mãe-de-santo, uma adivinha."

"Por isso é que ela acertou o que ia acontecer com os dois irmãos, não é?"

Procurei saber se ela se identificava com a principal personagem, a moça que era disputada pelos gêmeos.

"Você se acha parecida com Flora?"

"De jeito nenhum. Ela é boa demais, eu não."

Era uma observação curiosa porque alguns críticos contrapunham Flora a Capitu. Esta, com sua dissimulação e astúcia, significava o Mal. Já Flora, frágil, "um vaso quebradiço ou a flor de uma só manhã", era o símbolo do Bem.

"E os gêmeos te lembraram Ivan e Fernando?", fiquei curioso.

"A inveja, eu acho que era a mesma. Inveja ou ciúme, nunca cheguei a descobrir. Acho que eles tinham inveja deles mesmos e ciúme de mim. Aliás, você já me explicou, mas ainda não sei bem qual é a diferença entre inveja e ciúme."

Disse que a melhor maneira de saber era verificar a existência de uma terceira pessoa. "Não existe ciúme se não há uma terceira pessoa", disse e ilustrei:

"Quando Fernando não queria que você saísse com Ivan, isso era ciúme. Mas quando Ivan retribuía com o mal o bem que Fernando lhe fazia, era pura inveja."

Agora, um mês depois desse encontro, Kátia me ligou dizendo que tinha uma coisa muito importante para me comunicar. Aleguei que andava com pouco tempo, assoberbado de trabalho, só se fosse um encontro rápido.

Pra variar, foi no Caesar Park. Kátia chegou toda alegre, anunciando: "Tou apaixonada, arranjei o homem da minha vida!". Há meses estava namorando em segredo um rapaz "maravilhoso" que conhecera por intermédio de uma amiga.

Ela andava procurando alguém para orientá-la sobre sua situação na firma, a posse do apartamento, quando essa amiga lhe apresentou um jovem advogado, que passou a cuidar dos interesses de Kátia e, logo em seguida, também do coração.

Ela fora obrigada a fazer isso porque Ivan estava "cada vez mais insuportável". Continuava obcecado pelo seu antigo rival e amigo, como se ele estivesse vivo. "Não há um dia que não fale no Fernando. Não entendo: ele ficou com a mulher do amigo, com a empresa, com parte da grana e vive falando mal dele. Acha que na firma há o 'time do Fernando e o time do Ivan', que eu estou tramando, que até a *perua* está traindo ele."

"Aliás, parece que a coisa lá tá preta. Ouvi outro dia um telefonema em que um disse as piores coisas do outro. Você, que é jornalista, presta atenção que a qualquer hora vai estourar um grande escândalo por aquelas bandas envolvendo grana, falsificação de documentos, desfalque."

Em seguida, fez um pedido: "Quero que você seja um dos primeiros a conhecer meu namorado. Já falei muito de você com ele."

Expliquei que até entregar o livro não podia, mas depois do dia 15 de janeiro teria o maior prazer.

"Estou doida para ler esse livro."

"Você vai ter uma grande surpresa, não sei se vai gostar", avisei.

Notei que, além da alegria, Kátia estava usando um vocabulário novo. Termos como "carência", "rejeição", "culpa" e "sentimento de perda" tinham aparecido na conversa. Não podia ser só a novela das oito.

"Ô, Kátia, você está fazendo análise?", perguntei.

Ela deu um sorriso maroto e disse que eu era muito indiscreto.

Fiquei achando que talvez não tivesse jogado fora o número de telefone que lhe dera há meses, quando demonstrou vontade de consultar um analista.

"Você procurou o João Batista?", insisti.

Ela fingiu que nunca tinha ouvido falar nele. "Quem?" E deu aquela gargalhada.

Tudo isso me deixava mais tranqüilo em relação à minha decisão de publicar sua história.

Kátia estava em boas mãos – nos braços de um advogado apaixonado e com a cabeça sendo feita por um excelente psicanalista.

Kátia continuava um mistério para mim, mas, pelo que conheci dela, eu não queria estar no lugar de Ivan daqui para a frente.

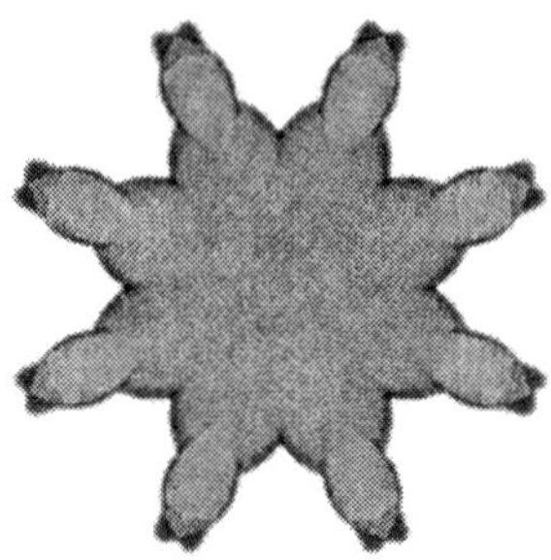

Agradecimentos

A primeira dívida deste livro é para com seus personagens, os que viveram as histórias e me possibilitaram contá-las.

Mas não menos importantes foram os que, sem aparecer nas páginas, me ajudaram de várias maneiras a chegar ao fim.

Vou ficar devendo muito aos psicanalistas, pais e mães-de-santo, padres, astrólogos e antropólogos que me orientaram pelos difíceis caminhos desse complicado tema.

Minha gratidão especial aos médicos que cuidaram de mim enquanto eu cuidava da inveja.

Teria muito que agradecer também aos que se dispuseram a ler os originais, tentando diminuir meus desacertos. Como nem sempre consegui atender suas sugestões, a eles não deve ser debitada a permanência de meus erros.

Queria estender meus agradecimentos aos que colaboraram me emprestando ora uma idéia, ora um livro ou um artigo, estímulo e confiança – às vezes tudo isso junto.

Por fim, quero declarar que sem o amor de Mary e o afeto de Mauro e Elisa – além da ajuda que me deram em todas as etapas do trabalho – nada teria sido possível ou valido a pena – nem o livro, nem a vida.

Não poderia deixar de registrar também minha dívida para com os autores que me ajudaram a entender melhor o tema:

Bonder, Nilton. *A cabala da inveja.* Imago Editora, Rio de Janeiro, 1992.

Shoeck, Helmut. *L'Envie – Une histoire du mal.* Les Belles Lettres, Paris, 1995.

Berke, Joseph H. *A tirania da malícia – Explorando o lado sombrio do caráter e da cultura.* Imago Editora, Rio de Janeiro, 1992.

Mezan, Renato. "A inveja", in *Os sentidos da paixão*. Funarte/Companhia das Letras, São Paulo, 1987.

Klein, Melanie. *Envie et gratitude et autres essais*. Éditions Gallimard, Paris, 1968.

Alberoni, Francesco. *Os invejosos – Uma investigação sobre a inveja na sociedade contemporânea*. Rocco, Rio de Janeiro, 1996.

Brunel, Pierre (organizador). *Dicionário de Mitos Literários*. Editora UNB/José Olympio Editora, Rio de Janeiro, 1997.

Armstrong, Karen. *In the beginning – A new interpretation of Genesis*. Ballantine Books, New York, 1997.

Moyers, Bill. *Genesis – A living conversation*. Doubleday, New York, 1996.

Menninger, Karl. *O pecado de nossa época*. José Olympio Editora, Rio de Janeiro, 1975.

Mason, Jayme. *Dante e a Divina Comédia – Uma crônica didática*. Editora Nova Fronteira, Rio de Janeiro, 1987.

Lane Fox, Robin. *Bíblia – verdade e ficção*, Companhia das Letras, São Paulo, 1993.

Rodrigues, Nelson. *O óbvio ululante – Primeiras confissões*. Companhia das Letras, São Paulo, 1995.

Tomei Patrícia, Amélia. *Inveja nas organizações*. Makron Books, São Paulo, 1994.

Cezimbra, Márcia e Orsini, Elisabeth. *Os emergentes da Barra*. RioArte/Relume-Dumará, Rio de Janeiro, 1996.

Assis, Machado de. *Esaú e Jacó*. Livraria Garnier, Rio de Janeiro, 1988.

IMPRESSÃO E ACABAMENTO
DONNELLEY - COCHRANE GRÁFICA EDITORA DO BRASIL LTDA.
UNIDADE HAMBURG
Rua Epiacaba, 90 - Vila Arapuá
04257-170 - São Paulo - SP - Brasil
Fone: (55 11) 6948 8000
Fax : (55 11) 6948 1555 Comercial
FOTOLITOS FORNECIDOS PELO CLIENTE